ACCÈS DIRECT À LA PLAGE

JEAN-PHILIPPE BLONDEL

Né en 1964, Jean-Philippe Blondel est professeur d'anglais dans un lycée à côté de Troyes. Après son premier roman, *Accès direct à la plage* (Delphine Montalant, 2003), qui a rencontré un vif succès, il a publié plusieurs romans, *This is not a love song* (Robert Laffont, 2007), *Le baby-sitter* (Buchet/Chastel, 2010), *G229* (Buchet/Chastel, 2011) et récemment *Et rester vivant* (Buchet/Chastel, 2011). Il a écrit aussi des romans pour adolescents, comme *Blog* (Actes Sud junior, 2010) et *(Re)play !* (Actes Sud junior, 2011).

JEAN-PHILIPPE BLONDEL

ACCÈS DIRECT
À LA PLAGE

ÉDITIONS DELPHINE MONTALANT

Toute ressemblance avec des personnes existantes
serait fortuite.

Le papier de cet ouvrage est composé de fibres naturelles,
renouvelables, recyclables et fabriquées à partir de bois
provenant de forêts plantées et cultivées durablement pour
la fabrication du papier.

© éditions delphine montalant, 2003.

ISBN : 978-2-266-22125-2

À Véronique, Eva et Lola
À Jean-Marc, Olivier et Valérie

Capbreton
Landes
1972

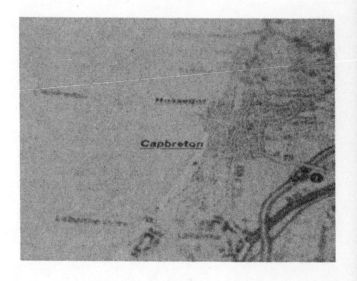

philippe avril

Tous les matins, je passe devant le Club Mickey.

Au Club Mickey, ils ont des balançoires, des tobog-gans, des monos bronzés en tee-shirt, et surtout, ils ont une piscine.

Ma mère dit que c'est ridicule, une piscine sur le bord de mer.

Moi, je trouve pas.

Puis, j'entends leurs voix. Ils crient, ils rient, ils s'amusent, eux.

Parfois, on en voit un qui dépasse.

C'est quand ils montent tout en haut du toboggan qui se jette dans la piscine.

Quand j'aurai des enfants, ils seront tous inscrits au Club Mickey.

Moi, je suis assis sur la plage, protégé par des tonnes de crème solaire, un bob sur la tête. Ma mère est sous le parasol rouge avec des franges blanches. Elle cause à sa copine Natacha. Il paraît qu'elle ne s'appelle pas vraiment Natacha, mais que ça fait plus chic de s'appe-ler Natacha, comme l'hôtesse de l'air dans *Spirou*.

Mon père se met toujours un peu plus loin quand Natacha arrive. Ça se voit qu'il n'aime pas beaucoup

Natacha. Il dit qu'elle est trop délurée. Quand il se met en colère à la maison, il la traite de tous les noms que je n'ai pas le droit d'employer, sauf avec mes copains quand les parents ne sont pas là.

Ma mère dit : Mais tu n'as qu'à un peu aller jouer à la mer ou faire des châteaux ; ou alors : Mais tu n'as pas de copains ? Tu n'as qu'à t'en faire un peu, au lieu d'être toujours dans nos jambes.

Je vois pas comment je pourrais me faire des copains. Il y a ceux qui viennent avec les colos, il y a ceux qui sont d'ici, il y a ceux qui sont venus en bande, et il y en a quelques-uns comme moi, mais généralement ils ne restent pas longtemps. Nous, on est là pour quinze jours. Avant, on venait un mois, mais un mois, c'est trop long, maintenant, et puis surtout c'est trop cher si on veut faire construire la maison. Avant, on louait une maison avec des pins, maintenant, on est dans un appartement. Et puis maman dit que c'est mieux, parce qu'il y a moins de ménage.

Natacha, elle loue toujours une maison pour elle toute seule. Mais c'est normal parce qu'elle n'a pas d'enfant et qu'elle peut dépenser son argent comme elle veut, dit mon père. C'est pas comme quand on est coincé avec des mômes, on peut plus faire ce qu'on veut. Dis pas ça devant le gamin, Michel. Mais tu parles, il est trop petit, il comprend rien.

Je suis devant les vagues.

J'aurais bien aimé que ma mère vienne avec moi, mais elle ne veut pas bouger. Mon père, ce n'est même pas la peine d'en parler, il déteste la mer. Il déteste la plage aussi. Lui, il voudrait partir à la montagne, ramasser des champignons et faire des promenades. Mais il paraît que l'iode c'est bon pour moi, alors on vient à la mer. On reste toute la journée sous le parasol, et je vais jouer tout seul dans les vagues ou alors j'attends.

C'est bien, les vagues.

Tu peux essayer de sauter par-dessus.

Tu peux essayer de plonger dessous.

Tu peux te faire rouler par les rouleaux.

Tu peux suivre la trace d'un coquillage ou d'une algue qui part et repart.

Avec un peu d'entraînement, tu peux faire ça pendant deux ou trois heures et après, il est l'heure de rentrer.

En rentrant, on passe devant le Club Mickey, j'entends toujours leurs rires et les monos qui disent : Ouais ! Super, vas-y encore, c'est bien. On croise aussi les colos, et ils chantent en levant la tête un kilomètre à pied, ça use les souliers. On passe devant le casino et Natacha jette toujours un coup d'œil à l'intérieur pour voir s'il y a du monde connu. Et puis après, le long du Boudigot, le restaurant où on ne va jamais, et puis la Résidence des Pins, où on a notre appartement.

Parfois je reste dehors, sur les balançoires.

Ce soir, il y avait un garçon de mon âge sur les balançoires, alors je me suis assis sur le banc et j'ai lu *Spirou*.

Je sais qu'il a mon âge parce qu'on a parlé après. C'est lui qui est venu. Il m'a demandé si j'avais d'autres *Spirou*. J'ai dit qu'ils étaient dans l'appartement, et je suis même allé les chercher. On a lu un peu dehors et puis on a causé. Il est venu pour un mois. Il est avec ses grands-parents. Ils habitent l'appartement du dessous. Il savait qui j'étais. J'étais le gamin de celui qui gueule tout le temps des horreurs sur une femme qui s'appelle Natacha. J'ai rougi un grand coup.

Je lui ai dit que je ne l'avais jamais vu sur la plage. Il a répondu que c'était normal parce qu'il était au Club Mickey.

J'ai senti mon cœur battre la chamade.
Un habitué du Club Mickey.
En chair et en os.
Un vrai.
Je voulais lui poser dix mille questions sur le Club Mickey, comment c'était à l'intérieur vu qu'on ne voyait rien depuis la plage, si la piscine était grande, à quel degré était l'eau, à quels jeux ils jouaient mais j'ai seulement réussi à balbutier ah ! c'est bien.
Et il a dit bof !
Bof !
Au premier étage, la dame a ouvert les fenêtres et on a entendu Pop Corn qui passait à la radio.
J'ai demandé pourquoi bof !
Il a haussé les épaules.
J'y suis toute la journée. Mes grands-parents m'y collent à neuf heures du matin et ils viennent me rechercher à cinq heures. Je ne suis pas encore allé sur la plage. Je ne suis pas encore allé dans la mer.
Et tes parents ?
Mes parents, ils sont à Paris.
Ah ! Ils travaillent ?
Non.
Ah !
Ils disent qu'ils ont besoin d'air. Et que ça me fait du bien, l'iode et l'air de la mer.
Tu pars quand ?
Dans une semaine.
On a toujours notre serviette au même endroit. Pas loin des maîtres nageurs, pour Natacha.
Je peux pas sortir du Club Mickey.

Et la nuit ?

Quoi, la nuit ?

On pourrait aller à la mer la nuit.

Mes grands-parents voudront jamais.

Mes parents non plus. Mais ils sont pas obligés de le savoir.

Je me sens l'âme d'un sauveteur. Le héros qui va permettre au petit garçon de voir enfin la mer. De jouer dans les vagues.

Il fait des grimaces.

Il ne sait pas quoi penser.

Ça le tente, mais bon.

Moi, je ne dis rien.

Finalement, il me tend la main et il dit : je m'appelle Benoît.

Je lui serre la paluche, façon comme mon père, et je dis : Philippe.

Et on tope là. On a rendez-vous pour le lendemain soir.

Le lendemain soir, les parents ont décidé d'aller à Biarritz.

J'ai essayé de résister et je me suis ramassé deux gifles retentissantes.

Je ne l'ai pas revu.

Ses parents étaient passés le chercher.

danièle girard

Je vais à la plage très tôt. À sept heures, il n'y a personne. Je croise quelques pêcheurs qui vont embarquer, mais la plupart sont déjà partis. Les commerçants se font livrer. Ils ne font pas attention à moi. C'est ce que je veux. Je porte des pantalons de toile, des espadrilles noires, un chemisier très ordinaire. Je ne suis pas maquillée. Je suis Danièle Girard. Je suis en vie.

Je pourrais passer des heures comme ça, accoudée au parapet, à regarder l'océan qui recule et qui avance.
Le toubib avait raison.
L'océan calme.
Vous le regardez, il est immuable.
Et vous sentez l'immensité du monde, vous sentez que vous n'êtes qu'une poussière dans l'univers et que, en fin de compte, tout ça n'a pas beaucoup d'importance.
Alors, vous rejetez la tête en arrière et vous commencez à sourire. Vous pouvez reprendre votre marche et revenir à l'appartement.
En chemin, vous lancez des regards en coin aux robes de plage qui s'étalent dans les magasins.

Vous appuyez le regard lorsqu'un homme bien bâti vous croise.

Il écarquille les yeux. Il ne vous connaît pas. Vous ne lui rappelez rien. Et vous ne l'attirez pas. Il faudra attendre quelques heures. Il est temps d'aller se recoucher.

Bien sûr, je ne dors pas.

Je reste allongée sur le lit à écouter les bruits de l'immeuble d'en face. Les premières gueulantes de Michel. Et sa femme qui ne répond pas. Et le petit qui descend sur les balançoires.

À l'étage au-dessus, c'est Hubert qui renverse sa tasse de café, sa femme qui bougonne. Je les connais tous. Je devine les moindres flottements de leurs pensées. Je pourrais écrire leurs histoires. Mais cela n'a aucun intérêt. Je connais surtout les hommes. Presque tous les hommes du bâtiment d'en face, sauf le vieil Henri qui est décidément trop vieux. Je connais leurs lâchetés, leurs veuleries, leurs frustrations. Je connais toutes leurs extases. Ils frappent discrètement à la porte de la maison quand leur chère et tendre est partie faire les courses avec leurs marmots. Ils viennent s'épancher. Ils viennent vider leur sac. Je suis un parfait réceptacle. C'est ensuite qu'ils sont touchants, les hommes. Quand tu les croises sur la plage ou que tu t'installes à côté de leur petite famille. Ils boudent. Ils craignent. Ils pensent que tu vas tout sortir. Ils sont tendus, les hommes. Intérieurement, ils te traitent de catin, de raclure, de putain. Ils détestent ton apparence. Ils essaient d'éloigner leur femme. Mauvaise influence. Et parfois, tu sens leur pouls s'accélérer. Ils ne peuvent pas s'en empêcher, les hommes. Ils te rejettent mais tu les attires.

Il n'y a que le gamin du quatrième, celui qui vient d'avoir dix-huit ans, qui ne réagisse pas pareil. Lui, il rougit. Lui, il me fait fondre. J'ai été son plus beau cadeau d'anniversaire.

Il y a une chose que je n'avais pas prévue. C'est Line. Je n'avais pas prévu que je puisse me prendre de tendresse pour une autre femme. Elle m'émeut. Elle m'émeut dans ses silences, dans sa colère rentrée, dans ses inquiétudes. Elle m'émeut dans les petites libertés qu'elle prend parfois, quand elle ne répond pas à son gros porc de mari et quand elle demande au gamin d'aller jouer plus loin. Elle me rappelle Danièle Girard. Danièle Girard, il y a trois ans. Et le petit aussi, il m'émeut. On dirait Emmanuel Girard. Je l'épie, le petit. Je le regarde, je l'ausculte, je ne peux pas m'en empêcher. Je sais que le toubib ne serait pas d'accord. Mais le toubib est loin. Je ne me souviens plus de Paris. Par la fenêtre, je regarde les familles partir à la mer, vers dix heures du matin.

Le père avec les nattes de plage et le parasol qui manque de tomber toutes les trois secondes. Les enfants avec les seaux, les pelles, les râteaux. Les femmes avec les sacs de plage, les crèmes solaires, les livres de vacances, les magazines.

Ils vont à la queue leu leu.

Soumis.

Tranquilles.

Ils ne me voient pas.

Lorsque je sens la boule qui monte, je vais directement à la salle de bains.

Une plâtrée de fond de teint.

Des cils à n'en plus finir.

Du bleu sur les yeux comme s'il en pleuvait.

Un rouge à lèvres orange.

Une minijupe, parce que mes jambes sont magnifiques. Une robe à manches courtes parce que mes bras sont magnifiques. Des chaussures ouvertes parce que mes pieds sont magnifiques.

Tortiller du cul. Un peu, pas trop. Les lunettes de soleil, surtout. Et le chapeau aux larges bords.

Libowski. Natacha Libowski. Actrice. Joueuse. Héroïne. Divorcée. Libre.

Je suis Natacha Libowski.

Je ne connais pas de Danièle Girard.

Et encore moins d'Emmanuel Girard.

Mais j'ai vaguement entendu parler de cette histoire.

Ce ne serait pas le gamin qui s'est noyé dans le port il y a trois ans ?

Une histoire terrible, non ?

C'est bien pour ça que je préfère ne pas avoir d'enfants.

jean-michel courtine

Je les regarde tous et ils sont pitoyables.

Honnêtement.

Aucun rêve, aucun idéal.

Le monde change, le monde bouge, il y a des hommes et des femmes et une révolution en marche, mais, eux, ça leur passe à côté. Ils se réveilleront dans une dizaine d'années et quand ils verront une rétrospective à la télévision sur les années soixante-dix, ils se demanderont où ils étaient pendant les grands bouleversements.

Ils étaient là.

Sur la plage.

Avec leurs parasols rouges et leurs serviettes orange, avec leurs cabines de plage, leurs grandes lunettes de soleil et leurs pastis du midi.

Tous.

Il n'y en a pas un pour relever l'autre.

Ils regardent l'Atlantique, et tout ce qu'ils voient, c'est de l'eau, du sel et des mouettes.

Moi, quand je regarde l'Atlantique, je vois les bateaux, les avions, New York et la route qui traverse les États-Unis. Je vois jusqu'au Golden Gate Bridge. Je vois jusqu'à Alcatraz. Je vois jusqu'à Ashbury Heights. Je les vois, les maisons qui s'accrochent aux collines.

Encore trois ans. Trois ans pour avoir le droit de partir. Trois ans pour vivre ma vie. J'ai dix-huit ans. J'ai déjà été tenté par la fugue, mais je n'ai pas envie d'avoir la police à mes trousses, comme Christian.

Et après, la surveillance rapprochée des parents.

Alors, je tire des plans sur la comète, avec les copains.

Je tirais des plans sur la comète avec Annie, mais Annie a changé de discours. En quelques mois, elle est devenue si sérieuse. Elle parle d'études, d'ascension sociale, de je ne sais quelle connerie encore. Elle ne veut plus qu'on fume de l'herbe. Elle dit qu'elle va se libérer du carcan machiste de la société. Elle dit qu'elle va devenir une meneuse d'hommes. Annie. Une meneuse d'hommes. On aura tout vu. Je l'ai plaquée.

Elle ne le sait pas encore, mais je l'ai plaquée.

En septembre, quand nous nous reverrons, je le lui dirai.

Juste avant de rentrer à l'I.U.T.

Je ne sais pas ce que je vais foutre à l'I.U.T. Je ne veux pas travailler dans un bureau. Je ne veux pas passer ma vie à faire des comptes, à remplir des colonnes de chiffres, à discuter des prix.

Je suis un oiseau.

Je veux faire l'amour sur les collines quand le soleil se couche avec une fille qui ne parlera pas la même langue que moi, mais nous nous comprendrons. Je retiendrai la jouissance jusqu'au moment ultime. Comme avec Natacha. Parce que Natacha, c'était autre chose qu'Annie. Natacha est experte. Natacha sait ce qui fait plaisir. Natacha est dans la vie. Elle bouscule toutes les habitudes petites-bourgeoises des vacanciers et elle envoie voler les convenances par-dessus les barricades. Je ne comprends pas pourquoi elle vient s'enterrer ici. Peut-être espère-t-elle changer les choses de l'intérieur, les modifier petit à petit. C'est une réformatrice. C'est ça, une réformatrice. Mais moi, je suis un révolutionnaire. Un révolutionnaire et une réformatrice, ça ne peut pas durer longtemps. Le temps d'une nuit superbe et les étoiles qui descendent dans la chambre. Puis nos chemins se séparent. Je vais de l'avant, elle reste en retrait. Et puis Natacha a plus de trente ans, j'en ai dix-huit. Je vais la plaquer. Je ne lui dirai pas, mais elle comprendra. Je la prendrai par les épaules et je lui expliquerai que mon destin m'appelle ailleurs, au-delà des océans. Elle aura des larmes dans les yeux, mais elle acquiescera. Elle courbera la tête et me souhaitera bonne chance.

Regardez mon père qui fait le con avec le voisin, celui qui gueule tout le temps.

Et vas-y qu'ils se moquent des pédales.

Et des noirs.

Pendant qu'on y est.

Les femmes qui rient.

Même Natacha.

Ça me dégoûte.

Il n'y en a qu'une qui ne rigole pas, c'est la femme du voisin. Faut dire que se taper un connard pareil toute l'année, ça doit miner tout sens de l'humour.

Il faut que je parte.

Je ne veux pas être comme eux.

Je ne veux pas vivre dans un monde sans musique et sans couleurs.

J'écris de longues lettres à mes amis.

On s'écrit toujours de longues lettres pleines de nos rêves et de nos délires.

Mais les délires s'organisent.

On aura le J7, l'année prochaine.

Et on partira en Bretagne.

J'en ai marre de la côte landaise.

Fred apportera sa guitare.

Phil prendra les sacs de couchage.

Loin de toute cette chair qui pourrit au soleil.

Une répétition générale.

Pour dans trois ans.

Dans trois ans, tous ensemble, on prend le vol de nuit pour San Francisco.

Je ne reviendrai jamais ici.

Je ne les reverrai jamais.

Quand j'aurai écrit mon roman, et qu'il sera devenu culte, j'en enverrai un exemplaire à Natacha.

Elle versera une larme sur notre nuit d'amour.

Assis en tailleur, dans la Redwood Forest, je penserai à elle.

henri cami

Je reste le plus clair de mon temps dans l'appartement. Je n'ai jamais vécu en appartement. Je n'ai jamais entendu les voisins. Je n'ai jamais eu autant de temps devant moi. Je n'ai jamais été aussi oisif. Ce n'est pas que ça ne me plaise pas. C'est juste que je n'ai pas l'habitude.

Je n'ai rien dérangé depuis que je suis arrivé. J'ai sorti une assiette, un verre, un couteau, une fourchette, une poêle à frire. Je mange des œufs et des steaks. C'est la seule chose que je sache faire en cuisine. Les enfants avaient prévu une orgie de poissons, de crustacés, de fruits de mer, mais je crois que je n'aime pas ça.

En même temps, je ne peux pas dire, je n'en ai jamais goûté. C'est juste que je n'ai pas l'habitude.

Je suis allé deux fois à la mer.

Je me suis senti ridicule avec mon pantalon, ma chemise, mes chaussures et mon béret. Je me suis un peu demandé ce que je faisais là. Une petite fille est venue me demander pourquoi j'étais habillé comme ça, je lui ai répondu que c'était parce que je ne restais pas longtemps. Alors, je ne suis pas resté longtemps. La deuxième fois, j'ai sorti une serviette de l'armoire de la chambre et je me suis installé dessus. J'ai enlevé mes chaussures. Le contact du sable était désagréable. Et puis l'étendue d'eau devant me mettait mal à l'aise.

Ce n'est pas que je n'aime pas ça, c'est juste que je n'ai pas l'habitude.

Je viens des montagnes. J'ai toujours vécu dans les montagnes. Je connais tous les recoins, je connais le chant de la brume quand elle s'infiltre dans les bergeries, j'entends les appels du printemps et de l'hiver et je sais quelles roches risquent de s'effondrer dans les années à venir. Je peux saisir l'angoisse des poules à l'approche du renard. Je reconnais l'appel à l'aide de la vache qui va vêler.

Mais le bruit de l'océan me désoriente.

Je ne suis jamais allé à la mer.

Marie n'a jamais exprimé l'envie d'aller à la mer non plus. La mer, c'est un autre monde. La mer, c'est la plaine, les pins, c'est le domaine des forestiers, c'est le domaine des oisifs. La mer, c'est pour ceux qui ont de l'argent à dépenser. C'est pour ceux qui ne savent pas quoi faire de leurs dix doigts. Ou alors, c'est pour les pêcheurs. Les pêcheurs, je les vois partir, parfois, de la fenêtre de l'appartement, et je les respecte. J'imagine qu'ils savent ce qu'ils font, à s'aventurer sur l'océan. J'imagine qu'ils ont toujours fait ça.

Mais il n'y en a plus beaucoup, des pêcheurs. Il paraît qu'avant, il n'y avait que ça, ici. Une dizaine de maisons de pêcheurs, c'est tout. Et maintenant, il y a tous ces gens, il y a trop de gens. C'est fatigant.

Il faut que je me prépare pour demain.

Bernadette a eu beau dire que je ne devais m'occuper de rien, qu'ils apporteraient à manger ou alors qu'on irait tous au restaurant, il faut bien que je prépare quelque chose à grignoter et à boire pour les gendres quand ils arriveront. Et pour Jean aussi.

Je n'ai pas trop hâte de les voir. Il va y avoir du bruit, des cris, de l'agitation, et je n'ai plus l'habitude de ça. Je n'en ai jamais eu l'habitude d'ailleurs. À la maison, les enfants étaient bien élevés. Ils ne parlaient pas pendant les repas. Ils jouaient dehors, ou alors ils s'occupaient des animaux. Jean m'a dit que certains auraient peut-être repris la ferme si je ne les avais pas obligés à se taire et à travailler si jeunes. Mais Jean est toujours prêt à faire des histoires. C'est plus fort que lui. Dès qu'il est dans la même pièce que moi, je sais que je vais me faire attaquer. Je ne réponds rien. Je me dis que son tour viendra. Quand je vois ses enfants, si impolis et turbulents, je me dis qu'il n'est pas au bout de ses peines et qu'un jour, il comprendra.

Je suis sûr que ce n'est pas lui qui a eu l'idée de ce séjour. C'est Bernadette. Elle a toujours été comme ça, Bernadette. Toujours à vouloir faire plaisir. Parfois, c'est embarrassant.

Ils sont tous venus chez moi un ou deux mois après la mort de Marie, et ils ont décrété que je devais un peu changer d'air. Penser à autre chose. Qu'ils s'étaient arrangés. Qu'ils trouvaient dommage que je n'aie jamais vu la mer. Que j'irai en vacances à Capbreton en août.

Un mois.

Et que pendant ce temps-là, ils s'occuperaient de la vente de la ferme.

Je pense à ma ferme.

Je pense à la chambre que je vais occuper maintenant, chez Bernadette.

Je me demande ce que Marie aurait pensé de tout ça.

De la fenêtre de l'appartement, je vois la mer.

Je me demande vraiment comment on peut aimer ça, cette étendue d'eau à perte de vue.

Ce n'est pas que je n'aime pas. C'est juste que je n'ai pas l'habitude.

michel avril

L'idéal, c'est la montagne.

C'est vrai.

Personne ne veut me croire.

Marcher sur les sentiers des bergers, voir les nuages se former et puis passer, ramasser des champignons, pêcher dans des lacs en altitude. Ne rien entendre d'autre que le bruit du vent.

Se lever le matin tôt, en sachant qu'on part en promenade pour toute la journée.

Seul.

Surtout pas de gamins qui piaillent. Pas de femmes qui cancanent. Pas de porteurs de glaces et de chouchous de Margot.

Juste le vent.

Personne ne m'écoute.

Jamais une seule fois on n'a pu aller à la montagne.

Chaque année, c'est la même chose. Deux semaines chez les beaux-parents, à se faire chier dans une maison où tout le monde me déteste, même s'ils me font de grands sourires, et à cultiver le jardin avec le beau-père. Et puis deux semaines à la mer. Avant, c'était pire. C'était un mois à la mer. Un mois à s'étaler sur

28

des serviettes qui sentent le moisi et qui s'envolent au moindre coup de vent. Sans compter ce que ça nous coûte. Avec ce qu'on dépense en location, on aurait déjà pu acheter un quart du terrain pour la maison. Mais non. Faut aller à la mer. Faut regarder les vagues. Faut acheter des glaces à l'eau. Faut acheter de la crème solaire. Faut écouter les ragots de cette traînée de Natacha. Faut se taper le gamin qui ne sait pas jouer tout seul. Pire encore, faut accepter de voir sa femme devenir une autre femme.

Dès qu'elle a mis son maillot de bain.
Ça se voit dès qu'elle a mis son maillot de bain.
Et elle rajoute les lunettes de soleil.
Toute la journée, elle ne fait que regarder.
Elle ne va jamais se baigner, elle ne sait pas nager
Tout ce qu'elle fait, c'est papoter avec Natacha regarder.
Regarder les hommes sur la plage.
Et comparer.
Je sais qu'elle compare.
Elle se dit celui-là, il est plus musclé, celui-là, il a l'air gentil, celui-là, ça doit être un meilleur père.
Et l'autre pute l'encourage dans cette voie, je suis sûr. Avec ses grands airs de Parisienne et son maquillage outrancier. Elle doit lui dire que la plage, c'est comme un supermarché, tu fais les rayons, tu soupèses, tu jettes un coup d'œil aux prix, et t'es même pas obligée d'acheter.

Je sais qu'elle regarde les hommes, de toute façon.
À la maison, elle se retient, mais n'empêche, je la vois quand même. L'instituteur qui habite à côté de chez nous, par exemple. Et je te parle des enfants et d'éducation et de comment les rendre plus autonomes

29

et meilleurs, mais elle n'en a rien à cirer, au fond. Tout ce qui l'intéresse, c'est de rentrer dans sa maison, de se glisser dans son lit et de voir comment il baise.

Et elle fait ça exprès pour me faire du mal.

Au début, je ne voulais pas le croire, mais ce sont mes parents qui m'ont ouvert les yeux. Ils m'ont dit, regarde son manège, en fait, elle passe son temps à t'humilier et en plus, elle prend des airs éplorés et se fait passer pour la victime. C'est vrai.

Elle profite de mon caractère, comme dit ma mère. T'as toujours été un peu soupe au lait, un cœur d'or mais soupe au lait, bon, il n'y a rien à y faire, t'es comme ça, t'es comme ça, il y a quand même beaucoup d'avantages à être avec toi, tu as une bonne situation dans les chemins de fer, tu es un gars travailleur, tu apportes des fleurs du marché presque tous les samedis, elle ne connaît pas sa chance, il y en a beaucoup qui aimeraient bien être à sa place.

Elle est vicieuse, en plus.

L'autre fois, je me suis juré de ne pas me mettre en colère, puisque c'est ça qu'elle me reproche le plus souvent. Paraît-il que je gueule. Que tous les voisins entendent les mots que je lui dis. Et alors. Il faut qu'ils sachent, les voisins, que je suis marié à une catin, une catin qui traîne avec des catins. Enfin bon, je ne me suis pas mis en colère. Eh bien, elle n'a même rien remarqué. Et pourtant, Dieu sait si j'ai pris sur moi. Quand elle m'a servi mon café à peine tiède, quand la confiture a coulé à côté de la tartine et qu'elle ne l'a même pas essuyée, quand j'ai vu les traces sur le sol de la cuisine, quand je l'ai vue regarder passer le maître nageur, je n'ai rien dit, j'ai rongé mon frein. Mais vous croyez qu'elle m'aurait dit merci ? Mon cul, oui. Alors, j'ai dit fini. Finies les concessions. C'est bon, j'ai assez donné. C'est toujours moi qui fais des efforts et elle, rien. Ça va aussi, hein ! Je suis marié à une catin et faudrait que je fasse des courbettes encore. Non, mais, c'est pas comme ça qu'on le traite, Michel.

Le pire, comme dit ma mère, c'est qu'elle a retourné le gamin contre moi. Forcément, moi, je bosse, je suis pas là de la semaine, je rentre le week-end, alors ils ont eu la semaine pour me casser du sucre sur le dos, et moi, je peux rien y faire. Le gamin, il devient comme elle, je le vois bien. D'abord, il m'évite. Et puis, il fait des manières, comme sa mère. Il fait la moue quand je dis des blagues. Il fait son air de mépris. C'est elle qui lui a appris ça. Et puis, en plus, il est collant. Il est tout le temps dans nos pattes, il est incapable de jouer tout seul, alors il vient régulièrement, il veut faire des châteaux, il veut une glace, il veut son *Spirou*, et puis quoi encore, avec ce que ça nous coûte, on aurait déjà pu acheter un quart du terrain de la maison.

Au moins à la montagne, il saurait quoi faire. On partirait chercher des champignons ensemble, on pique-niquerait. Elle, elle ferait ce qu'elle voudrait. Elle pourrait rester à la maison et coudre, ou même regarder la télé. Elle aime pas la montagne. Et alors ? Après tout, moi, j'aime pas la mer et je me la tape tous les ans.

En plus, on prendrait une maison isolée dans les Pyrénées. Un truc où on serait bien chez nous et où il n'y a pas d'autres touristes. Peinards. Elle pourrait regarder passer les vaches, c'est tout ce qu'elle pourrait faire.

Ma mère, elle est d'accord. Elle dit que c'est une bonne idée. Elle dit que de toute façon, il faut la mater. Quelle idée aussi de t'être pris cette bonne femme-là. Il y en a dans le monde entier qui se seraient mises à genoux et qui t'auraient supplié pour que tu les épouses, et tu choisis cette mijaurée avec ses mines de victime ? T'étais vraiment aveugle, hein, mon lapin ? C'est l'amour qui te bouchait les yeux, hein ?

Ouais.

Exactement.

C'est quand même pas de ma faute si elle est tombée enceinte dès la première fois, après le bal.

Elle aurait pu prendre ses précautions.

Ou me dire que c'était pas le moment. J'aurais compris.

Je suis pas un monstre, tout de même.

Hyères
Var
1982

2001. HYÈRES. - Avenue Henri Regard

sabrina lejeune

J'aime bien descendre la rue jusqu'à la plage. Je sens les regards des hommes sur moi. Je fais comme si de rien n'était. C'est nouveau pour moi. Jusqu'à l'année dernière, je n'étais rien. Ni grosse, ni maigre, ni formée, ni déformée, une espèce de pré-ado invisible. Personne n'aurait pu prédire la belle plante qui allait surgir de ce désert. C'est ça. Je suis une fleur du désert.

Juste un mouvement d'épaules.
Lentement.
Oh ! ma bretelle est tombée, quel hasard, il faut vite que je la remonte.

J'aime bien voir leurs yeux s'allumer. J'aime bien les voir avaler leur salive. J'aime bien que mon père gueule. Parce que pour gueuler, il gueule. Jusqu'à cette année, j'avais le droit de tout faire. Aller à la plage seule, partir pour acheter des glaces ou des magazines, bronzer devant la maison. Cette année, c'est la tôle. Impossible de le décoller. Tu ne vas pas sortir comme ça. Mets-toi un gilet. Tu ne veux pas prendre ta pelle et ton seau ? Il n'arrive même pas à m'agacer. Ça m'amuse. Je commence à exister. Je sais que les autres me voient. D'ici quelques années, je serai la reine de la plage. Je serai l'illumination des vacances.

Et au lycée, à la rentrée, je serai la révélation.

En fait, je supporte toutes les brimades depuis que j'ai rencontré Benoît. Il est boulanger, Benoît. Il a l'habitude de pétrir le pain. Ses mains sont douces. Ce soir, comme samedi dernier, je mets les voiles. C'est simple. Je monte me coucher vers dix heures et demie, après l'émission de variétés. Mon père va au lit vers onze heures. Il s'endort très vite. Encore plus vite depuis que j'ai retrouvé les cachets dans la table de nuit. J'en écrase deux et je les verse incognito dans son café. Du coup, il dit que depuis qu'il est en vacances, il dort comme un loir. Qu'il a retrouvé ses nuits de bébé. C'est touchant, non ? Après, il suffit de descendre l'escalier à pas de loup. D'écouter sa respiration régulière dans la chambre du bas, de reprendre l'escalier jusqu'au garage. Et de sortir discrètement.

Des années que je rêve de faire ça.

Respirer l'air de la nuit en attendant au coin de la rue.

Samedi dernier, on est allé en boîte au Lavandou. C'était génial. On a même fait une partie du trajet en marche arrière, avec la GS de Benoît. La crise. J'avais un peu peur quand même, mais les autres étaient morts de rire, alors moi aussi j'ai trouvé ça drôle.

Les boîtes de nuit, j'adore. J'espère que Benoît me paiera à nouveau un whisky-coca. C'est fort. C'est bon. C'est meilleur que tout ce que j'ai pu boire jusqu'à présent.

Benoît, il est vraiment sympa.

J'aime moins ses copains, ils sont un peu lourds, et puis ils n'arrêtent pas de me vanner sur mon âge et ils m'appellent la Vierge Marie, mais lui, il est vraiment adorable. Je suis sûr que papa l'aimerait beaucoup, mais il est hors de question que je lui en parle. D'abord, il trouverait que Benoît est trop vieux. Mais dix-neuf ans, ce n'est pas vieux. Et puis on sent qu'il est mature et qu'il réfléchit. Par exemple, quand il parle de politique avec ses copains, on sent qu'il y a pensé. Et puis, je me sens protégée avec lui. L'autre samedi, quand l'Arabe est venu m'embêter sur la piste, il n'y a pas été par quatre chemins. Comme en plus il est copain avec le videur, ç'a été sa fête, à l'Arabe. À un moment, j'ai trouvé qu'il y allait un peu fort sur le parking, alors je lui ai dit d'arrêter, mais il a répondu que quand on avait commencé quelque chose, on le finissait. Ça change de mon père. Il commence des tas de choses, il ne les finit jamais. Son mariage avec ma mère, par exemple.

J'ai vraiment hâte qu'ils arrivent, ce soir, en plus, parce qu'ils m'ont dit qu'ils allaient me préparer quelque chose de spécial pour mon anniversaire. Mon anniversaire, c'est dans trois jours, mais bon, je ne pourrai pas sortir ce soir-là. Il faudra que je passe la soirée avec mon père.

Quinze ans.

J'ai toujours rêvé d'avoir quinze ans.

Je me souviens, déjà quand j'étais petite, je regardais les filles de quinze ans dans *Podium* et *O.K. Magazine*, je comptais les jours qui me séparaient de mon anniversaire.

Je suis tellement contente d'avoir cet âge-là.

On a l'impression que tout s'ouvre.

Et on peut faire ce qu'on veut, quand on manœuvre bien.

Sûrement que je vais recevoir une carte d'anniversaire de Vaness. Avec Vaness, c'est à la vie à la mort. Elle est comme moi, on a les mêmes délires, les mêmes envies, en même temps, c'est dingue. Je suis quand même contente qu'elle ne soit pas en vacances avec nous, parce qu'on craque sur les mêmes mecs et que là, Benoît, je ne veux pas le partager. Il est trop bien.

En parlant de mec, je vais sûrement avoir un coup de fil de David. Je sais pas ce que je vais lui dire. Je veux pas lui faire de la peine, à David, mais bon, c'est un gamin. Les mecs, à quinze ans, c'est quand même des bébés. En même temps, je veux pas lui faire espérer que ça va reprendre à la rentrée.

J'ai changé.

C'est ce que je vais dire.

J'ai changé.

J'ai mûri.

J'ai quinze ans.

Ah ! enfin, les voilà !

Ils se marrent comme des tordus.

On va bien rigoler.

pascal maître

J'ai tout fait comme il fallait. Honnêtement, je ne vois pas ce que j'aurais pu faire de plus. La villa sur la Colline des Mimosas. Une dix-pièces avec piscine. Cuisine américaine donnant sur un patio. Des chambres spacieuses, lumineuses, presque aériennes. Meublées avec goût. Des armoires vitrées. Dedans, deux costumes de chez Versace et deux robes Saint-Laurent. Dégriffées, soit, mais quand même. J'avais tout préparé. Le traiteur nous livrerait tous les jours à midi et à huit heures. C'est le meilleur des environs. Je me suis renseigné avant. Comme ça, nous pourrions être ensemble. Parler. Communiquer.

Mon cul, oui.

Fabienne les a attendus avec moi, devant la maison. Elle était magnifique dans sa petite robe toute simple de chez Dior, celle que je lui ai offerte pour sa fête. Bronzée, les cheveux un rien décolorés, le sourire éclatant. J'étais fier d'elle.

J'aurais dû prendre une photo, avant qu'ils ne gâchent tout.

D'abord, quand le taxi est arrivé, il y a eu tout un problème parce que mon père n'a pas voulu que je règle la course. Il tenait absolument à payer lui-même et à dire au chauffeur qu'il l'avait vu trafiquer le compteur, que c'était une honte, et qu'en plus, il conduisait comme un pied. Ma mère, derrière, essayait de le sermonner : Robert, calme-toi. Robert, ce n'est pas si grave. Robert, les enfants sont là. Je me contrefous que ce soit grave ou pas, Liliane, c'est une question de principes. Et le chauffeur qui jure en italien et qui démarre sur les chapeaux de roues.

Fabienne était légèrement déstabilisée. Je l'avais prévenue. Depuis des mois, je lui répète. Nous ne venons pas du même milieu. Mes parents sont mes parents et ils ne ressemblent pas aux tiens. Tu vas peut-être avoir du mal à les accepter. Elle a toujours répondu par un sourire énigmatique.

Je pensais quand même que le vieux ferait un effort.
Après...
Après, c'est devenu pire.

Il m'a vaguement serré la main et il a dévisagé Fabienne quelques instants avant de lui lancer qu'elle devait être la femme de son fils. Elle a ri un peu bêtement, a répondu que oui, effectivement et il a souri à son tour en disant qu'il fallait l'excuser, qu'il n'en était pas sûr, vu qu'il n'avait pas été invité au mariage. Et qu'il n'avait jamais reçu de photos non plus. Je me suis interposé. Enfin papa, tu sais bien que nous nous sommes mariés à Hawaï dans la plus stricte intimité.

Il m'a fixé de son regard bleu et froid. Le même regard qu'il avait quand j'étais môme quand je venais de faire quelque chose qui le décevait. Ce regard qui m'a toujours glacé. Ce regard qui me met hors de moi une fois qu'il est loin.

C'est bien, ça, la plus stricte intimité. Je voudrais être enterré dans la plus stricte intimité. Tu ne seras pas invité non plus. Et Fabienne de nous enfoncer en voulant rattraper le coup : mais, beau-papa, mes parents se feront un plaisir de vous montrer les photos. Ils en ont fait au moins quatre pellicules.

Silence de mort.

Ma mère se racle la gorge et dit c'est une bien belle maison de location. Tu nous fais visiter ?

Rien ne l'a impressionné.

Ni les baies vitrées qui donnent sur la mer, ni les appareils high-tech de la cuisine.

Il a simplement demandé combien ça coûtait, une location comme ça.

Le comble du mauvais goût.

J'ai juste répondu que je pouvais me le permettre.

Il a dit qu'il n'en doutait pas.

Il a ajouté qu'il m'avait trouvé très bien à l'émission de télé d'avant-hier.

Je l'ai remercié et il a eu un petit rire aigre.

Suffisant, inhumain, puant, tout ce que j'aime. Le genre de petit con qui croit tout savoir sur le monde parce qu'il encule son prochain.

Fabienne s'est étouffée avec le gâteau apéritif qu'elle venait de prendre.

J'ai serré les dents.

J'ai simplement dit que c'était la dernière agression que j'accepterais de tout le séjour.

Il n'a plus dit un mot.

Il n'y comprend rien. Il ne supporte pas que son fils puisse racheter des entreprises, dégraisser, les revendre.

Il n'a aucune idée de ce que peuvent être l'économie, les affaires. Il a bossé toute sa vie dans la même usine, il a grimpé peu à peu les échelons, jusqu'à contremaître, et il est parti à la retraite. Il a habité toute sa vie dans la même maison étroite avec son pauvre petit jardin. Une vie étriquée. Je me suis dit très tôt que je n'aurais pas cette vie-là. Que j'avais besoin d'espace. J'y suis arrivé. Je n'en ai aucune honte. Et si lui me rejette, ce ne sera pas la première fois. Il n'a jamais cru dans mes capacités. Il ne m'a jamais cru capable de rien. Et il reste toujours ma mère. Un modèle de dignité et de bon goût. C'est elle qui m'a transmis le goût des belles choses. Lui, il ne m'a rien transmis du tout.

Il a prétexté qu'il n'avait pas faim, ce soir, et il est monté se coucher.

Je lui ai demandé ce qu'ils avaient envie de faire le lendemain. S'ils voulaient visiter l'arrière-pays, aller en Italie, ou simplement s'étendre sur la plage. Il a fait un vague signe de la main en montant les escaliers. J'ai soupiré en disant qu'il ne s'arrangeait pas avec l'âge. Maman est montée se coucher peu après.

C'est le bruit de la tasse qui m'a réveillé, vers cinq heures du matin. J'ai le sommeil très léger. Il y avait quelqu'un dans la cuisine. Je suis descendu à pas de loup.

Ils étaient là, tous les deux, habillés de pied en cap, leur valise à la main.

Je me suis frotté les yeux. J'ai balbutié. Qu'est-ce que... mais où...

Mon père a pris la parole, très calmement. Notre place n'est pas ici. Nous partons.

La rage est montée en quelques secondes. J'ai hurlé.

J'ai cassé du cristal. J'ai laissé sortir tout mon ressentiment, toutes les humiliations, toutes ces années. J'ai crié qu'il faisait ce qu'il voulait mais que maman n'avait pas à obéir à ses ordres, qu'elle n'avait pas à se soumettre, qu'elle resterait ici.

Et puis je l'ai frappé.

Voilà.

Ma mère s'est précipitée sur lui, l'a aidé à se relever. Elle s'est retournée vers moi. Elle avait le même regard que lui. De sa voix fluette, elle a dit que ce n'était pas elle qui avait voulu venir. Que c'était lui. Parce qu'il ne voulait pas se résoudre. Parce qu'il pleurait tout seul dans l'atelier, le soir. Elle, non, elle ne voulait pas venir. Elle, elle savait. Elle savait qu'elle avait enfanté et élevé un monstre. Elle réfléchissait à ce qui avait pu se passer. Elle ne comprenait pas quand avait eu lieu le dérapage. Quand j'étais devenu ce que je suis maintenant.

C'est-à-dire, maman ?

Elle a souri. Son doux sourire d'amande.

Une ordure.

Je ne les ai pas regardés descendre la route qui mène à la ville. Je ne voulais pas les voir, les valises à la main, droits comme des I. Avec leurs silhouettes de reproche.

Je n'ai rien à me reprocher.

Je suis ce que j'ai voulu devenir.

Et j'en suis fier.

line avril

Je ne sais pas trop pourquoi je suis venue ici.
Pour changer.
Quinze ans de côtes landaises, c'était trop.
Je voulais changer d'air.
Surtout cette année.
C'est étrange, toutes ces nouvelles possibilités. Traîner dans les boutiques. Marcher le long de la plage. Aller se promener dans les pins. Se lever et n'avoir que soi à penser.
Parfois, ça me donne le vertige.

Philippe a téléphoné ce soir pour savoir comment ça se passait, si la location me plaisait, si j'avais besoin de quoi que ce soit. J'ai regardé autour de moi et j'ai répondu que non, tout était très bien, parfait. Il a eu un petit rire et il a dit que c'était plutôt un mauvais signe de trouver tout parfait.
Honnêtement, Philippe, je n'ai pas eu encore le temps de me rendre compte. Je ne suis là que depuis ce matin. Si tu me demandais de te décrire la maison, j'en serais incapable.
Oui. Tu as raison. J'appelle trop tôt. C'est que je me fais du souci, maman.

Je suis adulte et vaccinée, Philippe. Je sais très bien m'occuper de moi.

C'est la première fois que tu passes des vacances seule. Un vrai bonheur.

Merci pour moi.

Tu sais ce que je veux dire.

Tu aurais dû le faire beaucoup plus tôt.

Les vacances ?

Le divorce.

Mmmh.

Bon. Je descendrai la semaine prochaine. Lundi soir probablement.

Tu me l'as déjà répété des dizaines de fois.

C'est un reproche ?

Un avertissement.

Bon. Appelle-moi quand tu veux.

Embrasse Vincent pour moi.

J'ai eu un peu de mal à dire la dernière phrase. Je n'ai pas honte de le dire. Pourtant tout est parti de là. Si Vincent n'était pas apparu dans la vie de mon fils, je n'aurais certainement jamais divorcé. Je dois ma liberté à un pédé. Non. Pédé, c'est le langage de Michel. Il faut évacuer ça. Voyons, il faut quelque chose de neutre. De passe-partout. Un homosexuel. Voilà.

C'était un dimanche presque comme les autres. Philippe avait décidé d'emmener un copain à déjeuner. Ça arrivait de temps en temps. Des copines aussi, mais c'est vrai que c'était plus rare. Michel s'était enfermé dans le bureau depuis le début de la matinée. Je ne cherchais plus à savoir ce qu'il y faisait. Rien de très répréhensible, probablement. Il devait faire et refaire les comptes du ménage, éplucher les chèques pour voir si je ne m'étais pas encore acheté une robe récemment. Je n'aurais jamais dû accepter le compte joint.

Il en est ressorti vers midi et demi, quand je l'ai appelé pour le repas. Il avait l'air légèrement ivre, mais c'était peut-être seulement d'avoir fixé des talons de chèque pendant des heures. Les garçons étaient déjà là depuis une heure et Vincent racontait comment il s'était retrouvé modèle pour un groupe d'étudiantes des Beaux-Arts, et comment elles pouffaient toutes, les unes après les autres, tandis qu'il rougissait de plus en plus. Il a une conversation agréable, Vincent. J'aime bien l'écouter parler. Ça doit être comme ça, d'avoir un ami. Je me souviens de Natacha. Elle parlait comme lui, Natacha. Mais ça remonte à combien de temps, ça, huit-neuf ans ? Dix ans ? Je ne sais pas ce qu'elle est devenue, Natacha. Une année, on est revenus et elle n'était plus là.

J'ai vu le visage de Michel.

Le même visage qu'il avait en face de Natacha.

J'ai senti les insultes qui se bousculaient sur ses lèvres.

Je n'ai pas été déçue.

On n'est jamais déçu avec Michel. Il est tellement prévisible. Un vrai lave-linge. Là, il était sur le blanc. Il bouillait à 90°. Draps très sales. Autant les laver en famille, n'est-ce pas ?

C'est lui qui a embrayé tout de suite sur les homosexuels. Sur Mitterrand qui leur avait donné des droits. Et que c'était une honte. Et qu'ils n'avaient qu'à mourir dans la fange d'où ils venaient. Qu'on devrait les enterrer vivants.

J'étais en train de me détacher de tout ça. Comme souvent, dans les derniers temps. J'étais en train de visualiser, les yeux ouverts, un champ d'herbe, qui descend en pente douce vers la mer.

Et c'est là qu'ils se sont embrassés.

À pleine bouche.

Je le savais, bien sûr. Une mère, ça sait des choses comme ça. Et Michel aussi le savait. Mais le voir. Le voir, c'est autre chose.

Tout est sorti. Tout a valsé dans la pièce. À un moment, j'ai regardé Michel. Son visage cramoisi, la bave au coin des lèvres, les babines retroussées. Je déteste les chiens. C'est tout ce que j'ai dit. Ils se sont tous arrêtés nets. Ne sachant pas sur quel pied danser. Et je suis sortie de la pièce. Et de leurs vies.

Bien sûr, je les vois, de temps à autre. Je dîne chez Vincent et Philippe. Michel m'invite au restaurant. Les garçons me félicitent. Michel essaie de me faire revenir sur ma décision.

Je ne les écoute pas.

Cela ne m'intéresse pas.

Ce matin, en arrivant à la gare, j'ai vu un couple de personnes âgées qui descendaient l'avenue, leur valise à la main. Ils se sont assis sur un banc. Il l'a prise dans ses bras. Ils se sont embrassés.

Paisibles.

Je ne serai jamais comme eux.

Michel ne sera jamais comme eux.

Philippe et Vincent ne seront jamais comme eux.

Je pense à ces peaux ridées, à ces gestes tendres, à cette compréhension, à cette complicité.

J'y pense toute la journée.

Je n'ai même pas encore vu la mer.

gilles veriniani

Je n'aurais jamais cru que cela aurait pu arriver.

Je ne suis pas ce genre de type là.

Je n'ai pas eu de ces visions romantiques, la plage, main dans la main, on marche dans les vagues, on s'éclabousse, on rit.

Il y a une dizaine d'années, peut-être. Il y a une dizaine d'années, oui.

Je me souviens que je passais les vacances à attendre le coup de foudre, l'âme sœur, les pleurs du départ, les promesses pour l'année prochaine.

Je suis toujours venu en vacances ici, avec mes parents.

On retrouvait les mêmes couples, les mêmes copains.

On organisait des barbecues, des jeux, des concours de celui qui pisse le plus loin.

Je me rappelle d'une fille qui devait avoir deux ans de moins que moi et qui était raide dingue de moi. Une année, elle a même piqué mon tee-shirt des Rubettes pour dormir avec.

J'avais neuf ans. Elle en avait sept.

Une pisseuse.

Elle n'est venue que pendant quelque temps.

Aux années de l'adolescence, ses parents ont opté pour la Bretagne.

Les copains se sont disséminés un peu partout. Certains ne partaient plus en vacances, chômage oblige. On s'est envoyé quelques vagues lettres et puis plus rien.

Il ne restait qu'Olivier.

J'ai beaucoup ri avec Olivier, mais il était clair que si une fille nous repérait tous les deux, ce n'est pas moi qu'elle choisissait. Et on n'a jamais trouvé les deux sœurs jumelles qu'on cherchait et qui auraient résolu notre problème.

Puis un jour, il n'y a plus eu les parents pour payer. Il a fallu travailler tout l'été, pour financer les études. Olivier a trouvé un boulot et il doit travailler les mois d'été pour laisser la place sur les plages à ceux qui ont des enfants. Ce sera bientôt son tour. Sa femme est enceinte. Je ne sais pas si je l'envie.

J'ai vingt-cinq ans. Je suis libre de toute attache, la dernière en date s'étant affranchie elle-même du joug il y a moins d'un mois. J'ai hésité. Je me suis dit que partir à la mer seul, dans l'endroit où j'avais passé mes vacances d'enfant, c'était une très mauvaise idée. Que j'allais avoir un cafard noir.

J'ai failli renoncer. Mais j'ai repensé à la rue piétonne qui monte au marché, à l'Almanar, à Porquerolles, à la douceur de l'air quand tu fermes les yeux sur la plage. Et je me suis dit que tout serait mieux, de toute façon, que de rester seul dans cet appartement, avec les copains qui partent en villégiature les uns après les autres.

Les premiers jours, oui, c'était dur.

Je traînais dans le deux-pièces minable en me demandant ce que je faisais là.

J'avais terriblement besoin de conversation.

C'est en boîte de nuit que la solitude m'est vraiment tombée dessus. Moi qui ai tellement aimé les discothèques. Je regardais cette très jeune fille danser avec ce mec qui ne pensait qu'à la sauter. Je me suis dit que je me faisais du mal. Je suis parti quand ils ont commencé à s'en prendre au Maghrébin.

Sur le parking, il y avait une fille de mon âge, un peu perdue. Son fiancé voulait rester encore danser avec leurs amis. Elle avait envie de rentrer. Mais la discothèque était loin de tout. Elle allait au centre de Hyères. J'ai proposé de la raccompagner. Elle a eu un petit rire. Ce n'est pas raisonnable. C'est vous qui voyez. Il serait furieux s'il savait. Il n'aurait aucune raison. Et pourquoi pas, après tout ?

Le trajet n'était pas très long et nous n'avons presque pas parlé. Mais quand je me suis arrêté devant l'immeuble où elle habitait, elle n'est pas descendue de la voiture. Moi, je ne fais jamais le premier pas. Ni le premier, ni aucun autre. Elle fronçait les sourcils. Elle m'a dit : vous habitez dans l'Aube ?

Hochement de tête. Elle avait vu la plaque d'immatriculation de la voiture.

J'avais un copain qui habitait dans l'Aube. Silence. Ça vous choque si je vous demande votre numéro de téléphone ?

Non, mais votre ami va être très choqué, lui.

En sortant de la voiture, elle a souri et elle m'a remercié.

À trois heures du matin, je buvais un café pour me remettre les idées en place quand elle a téléphoné.

Je voulais juste être sûre du numéro. Mmmh. Vous étiez couché ? Non. Vous faisiez quoi ? Café. Je pensais à vous aussi. Nous ne nous sommes pas présentés. Je ne force pas la main. Je vous ai reconnu tout de suite. Pardon ? Quelque part, dans ma chambre, à Paris, j'ai toujours le tee-shirt des Rubettes.

Apprendre à connaître l'autre.

À l'apprivoiser.

Elle est comme la ville. Elle m'est familière et pourtant, tant de choses ont changé. Il faut essayer de combler les lacunes, débusquer les douleurs, fouiller la peau des sentiments. J'ai l'impression de n'avoir pas fait ça depuis des années. Jamais peut-être.

Quand je me réveille le matin, je sens son nez sur ma poitrine. Elle dort comme ça, pelotonnée contre moi. Je regarde le plafond, j'ai les larmes qui montent aux yeux.

Au petit-déjeuner, on essaie tous les deux d'apercevoir un coin de mer, mais les immeubles cachent le littoral.

Son mec est remonté sur Paris. Elle s'attarde. Je m'attarde. Nous nous attardons.

Hier, nous sommes restés un long moment devant les vitrines des agences immobilières. À la recherche d'une location permanente.

Je vais vivre toute une vie de vacances.

francis rozé

En quinze ans de carrière, jamais. Je n'arrive encore pas à le croire. La journée était tout à fait ordinaire. Et tellement légère.

Tu rencontres des clients. Tu leur fais visiter des appartements. Tu fais les mêmes blagues vaseuses. Tu donnes les mêmes conseils. En plus, tu les as plutôt à la bonne, ces clients-là. Des gens de la région parisienne qui, d'un seul coup, veulent s'établir ici. Lui a déjà retrouvé un boulot. Elle est secrétaire, ça va peut-être prendre un peu plus de temps, mais elle a confiance et puis elle a un peu d'argent d'avance. Ils ont vu la vitrine de l'agence, ils ont musardé devant. Ils ne se regardaient presque pas. De temps en temps, les yeux qui glissent un peu sur la peau de l'autre, et un léger rosissement des joues. Un nouveau couple. Un couple illicite sur le point de devenir légal. Je peux tous les faire rentrer dans des petites chemises cartonnées. Un joli tiroir confortable. Il ne s'agit pas d'un don particulier. C'est juste le métier qui rentre. Tu observes les tics, les réactions, les mots couverts et les exclamations, et au bout de quelques minutes, tu as déjà une photographie du couple.

Parfois c'est amusant, souvent totalement déprimant. Aujourd'hui, c'était très émouvant. J'ai décidé de leur consacrer la matinée. Je suis sorti de l'agence et je les ai invités à prendre un café.

Oui, bien sûr, j'avais quelque chose pour eux. La période n'était pas idéale, c'est sûr, mais les vacanciers commençaient à partir. 21 août. Le retour aux sources. La rentrée qui approche. Il fait encore très chaud sur la plage, mais on sent les regrets éternels dans le miroitement du soleil sur la mer. Des reflets poignants.

Oui, j'avais un F2 très bien, plein centre ville mais tranquille tout de même, dans une petite impasse. Il y avait quelqu'un en location jusqu'au 24 mais on pouvait peut-être demander si, par hasard, elle acceptait une visite. Il fallait qu'ils soient conscients qu'elle pouvait refuser. Après tout, elle était en vacances, et elle ne devait même pas être au courant que cet appartement était à louer en septembre.

Ils hochaient la tête en chœur, et j'ai eu envie de rire. Je pouvais même leur consacrer la journée.

La dame a été très gentille. Elle comprenait, bien sûr. Elle était très étonnée, parce qu'elle pensait que quelqu'un habitait là et que l'appartement n'était loué que pour juillet-août, mais elle ne voyait aucune objection à la visite.

Dans la voiture, ils se tenaient la main sur la banquette arrière et ils regardaient le paysage en souriant. Je suis sûr qu'ils ne voyaient rien. Ils commençaient à imaginer. Vivre avec elle. Vivre avec lui. Un bonheur timide.

Ils m'ont mis le cœur en joie.

Ça m'arrive souvent.

Le boss n'arrête pas de me dire que je m'identifie trop

à mes clients, que ce n'est pas professionnel, que je vais y laisser des plumes et l'agence aussi, mais il n'a pas à se plaindre pour l'instant. Je le laisse maugréer. Et madame Bentini qui n'arrête pas d'abonder dans son sens. Francis, regardez-vous, vous vivez à travers les autres. Vous leur trouvez des logements, de nouvelles vies, et vous négligez la vôtre. Vous vous laissez aller. Vous allez vous réveiller à cinquante ans, Francis, et vous vous demanderez ce qui vous est arrivé.

Je n'ai pas peur.

Hier, je suis allé constater un problème de fuite aux Mimosas. Les plombiers étaient déjà sur place.

Beau travail, les Mimosas. Belles baraques, un peu trop tape-à-l'œil à mon goût, mais du solide.

J'ai rencontré cette fille.

Seule sur sa terrasse.

Mariée.

On a juste parlé.

D'enfants.

C'est son obsession, les enfants.

Elle m'a demandé si moi, je voudrais en avoir.

J'ai dit oui. Tout de suite. Je ne savais même pas ce que j'allais répondre. Je croyais que, naturellement, j'allais répondre non, pas le moment, et la suite.

Les plombiers sont partis des Mimosas bien avant moi.

Ils ont fait un clin d'œil vicelard en quittant les lieux.

Je me suis levé et j'ai pris congé. Votre mari ne saurait tarder. Mon mari est retourné à Paris. Ah ! Mon mari voyage beaucoup. Ah ! Mon mari n'est pas un être humain. Oh ! Vous prenez un apéritif ? Ah ! Arrêtez de dire ah ! J'ai dit oh ! aussi une fois. Je m'appelle Fabienne. Moi, c'est Francis.

C'est à elle que je pensais en prenant l'ascenseur.

Les prémisses d'une histoire impossible. Le début de l'automne. Le vendredi soir, nous inviterions le petit couple, Laure et Gilles. Nous mangerions des fruits de mer en regardant Hyères, délivrée des touristes, en contrebas.

Madame Avril nous avait préparé un café. Le petit couple a fait le tour du propriétaire et puis ils ont dit que l'appartement leur plaisait beaucoup. Madame Avril était enchantée. Moi aussi. Elle a dit vous me rappelez mon fils. J'attendais d'autres confidences, mais elle n'est pas allée plus loin.

Ils voulaient voir la cave et madame Avril voulait y récupérer son vélo pour aller faire un tour le long du bord de mer. Nous avons tous les quatre pris l'ascenseur.

Appuyez sur le bouton d'électricité. Marche pas. Attendez, j'ai ma lampe de poche. Vous pensez à tout, monsieur Rozé C'est la troisième à droite. Dites donc, c'est vraiment sombre ici. Ah ! J'ai buté sur quelque chose. Ça va, chérie ? Oui, je... Qu'est-ce qu'il y a ? Vous pourriez éclairer ici, c'est bizarre, je...

Il y a eu juste un petit cri. Nous sommes restés tous les quatre, comme ça, les bras ballants. Comme des cons.

Par terre, il y avait le corps d'une adolescente. Les habits déchirés. Le corps couvert de sang séché et de bleus. La tête fracassée.

J'ai vomi sur madame Avril.

Perros-Guirec
Côtes-d'Armor
1992

hannah gromer

C'est beau.

Même si ce n'est pas ce que je voulais voir, c'est beau.

C'est sûr que j'aurais préféré voir la Côte d'Azur. Saint-Tropez. Nice. Cannes. Ce sont des noms qui ont bercé mon enfance et qui m'ont toujours fait rêver. L'oncle Hans y était allé dans les années soixante et il nous racontait des choses extraordinaires. Des bolides rouge et blanc sur la corniche, des femmes aux tenues somptueuses, des fêtes jusqu'au petit matin, arrosées de champagne.

Je n'ai jamais vraiment cru aux histoires de l'oncle Hans. Personne n'y croyait vraiment d'ailleurs, mais c'était facile de s'endormir sur le canapé défoncé en l'écoutant débiter ses sornettes. Et puis, il y a eu les chaînes de télévision. La musique aussi. Insidieusement, les images devenaient plus proches. Elles se greffaient sur nos souvenirs sans parvenir à s'y fondre. Nous arrivions à voir des films qui se passaient en France, en Angleterre et de l'autre côté de la frontière.

Plus tard, ils sont venus. Ils ont débarqué dans leur grande voiture, l'air un peu ahuri et inquiet et ils ont sonné à la porte de l'immeuble. D'un seul coup, il n'y a plus eu un bruit. Toutes les familles du bloc étaient aux fenêtres. Ma mère est devenue rouge comme une pivoine. Mon père a fondu en larmes. L'oncle Hans est tombé dans les pommes.

J'avais souvent entendu parler d'oncle Otto et de sa famille. Mais je n'y prêtais pas plus d'attention qu'aux histoires d'oncle Hans. Il était une fois une famille séparée par le mur, un frère qui s'enfuit avant qu'il ne soit trop tard, et qui envoie des lettres, nombreuses au début, puis de plus en plus rares. On suit son trajet sur une carte et on note ses arrêts et ses départs avec des têtes d'épingle de couleur. Cologne, Düsseldorf, Mulhouse, Strasbourg. Au gré des déménagements. Et puis soudain, plus de mouvements. Il écrit qu'il va se marier. On essaie d'avoir une autorisation. On ne l'a pas.

Je me souviens de la déception. Je me souviens que les Jeux Olympiques avaient lieu à Munich. J'avais six ans. Quelques photos des enfants — un garçon, une fille. Elles étaient épinglées sur le mur de la cuisine et puis elles ont glissé un jour et personne ne les a ramassées. Et un jour, ils sont à la porte de l'immeuble et tout le bloc est aux fenêtres. Les vieux se tombent dans les bras. La fille m'adresse un sourire. Je lui réponds.

Elle devait avoir treize ou quatorze ans. Je venais d'en avoir vingt. C'était il y a six ans.

Ils avaient un cadeau pour moi. Un walkman. Et des cassettes de musique. Je n'avais jamais eu d'aussi beau cadeau. Je ne m'étais jamais sentie aussi humiliée.

Quand ils sont repartis, il y a eu des embrassades, des promesses, des larmes.

Bientôt, on serait réunis. Bientôt on pourrait prendre l'apéritif tous ensemble dans un petit jardin.

Personne n'y croyait.

On se prenait tous pour l'oncle Hans.

On se racontait notre petite histoire.

Et puis d'un coup, tout s'est précipité. Des gens ont commencé à traverser les frontières, on a senti le régime hésiter, on passait notre temps à demander des nouvelles aux autres, à écouter les ragots, à voir les réactions des voisins.

Une nuit de novembre, le mur est tombé.

Je me souviendrai toute ma vie du frisson qui m'a parcouru en voyant les images. Plus rien ne serait jamais vraiment pareil. Je me souviens que j'aurais voulu être plus jeune ou plus vieille. Mais pas là, vingt-trois ans, le cul entre deux chaises, la tête entre deux générations.

Avec Stefan, on est allés à l'Ouest. Plusieurs fois. Voir les rues. Les vitrines. Ils ne se rendent pas compte. Ils ne se rendent vraiment pas compte.

Cette année, oncle Otto et tante Geneviève m'ont invitée en vacances. Ils ont même payé le voyage en train. Des vacances près de la mer, en Bretagne. La dernière marche vers les États-Unis. Et ils n'arrêtent pas de se plaindre. Que la maison est un peu trop petite, qu'elle est un peu trop humide, que le terrain n'est pas comme sur la photo du catalogue, que le supermarché est un peu trop loin. Ils ne se rendent pas compte.

Stefan n'a pas pu venir. Il vient d'être licencié et il rumine en ce moment. Il disait qu'il voulait trouver du travail à l'Ouest. Profiter de la réunification. Mais finalement, il ne bouge pas. Il traîne dans le quartier avec ses copains. Ils pestent contre le gouvernement, les étrangers, les chiens. Je ne le reconnais pas.

Je voulais un enfant de lui. C'est ce que nous avions dit la nuit où le mur est tombé : maintenant, nous pouvons faire un enfant. Encore quelque temps, attendre que la situation se stabilise, et il sera temps de fonder une nouvelle famille, de nouvelles bases, une nouvelle génération.

Je ne veux plus, maintenant.

Je regarde la mer sur la plage de Perros-Guirec.

Ici, tout est propre. L'air semble pur. Les maisons sont coquettes. Les routes sont belles.

Bien sûr, j'aurais préféré la Riviera.
Mais c'est bien aussi ici.
Quinze jours. C'est court, quinze jours.

Je crois que je n'aurais pas dû venir.

Je ne sais plus ce que je dois faire.

otto gromer

On n'a pas tout le confort. C'est dommage. La douche marche moins bien qu'à la maison. Et puis le frigo est trop petit. C'est Geneviève qui s'en plaint surtout. Et puis il pleut tout le temps. Enfin presque tout le temps. Quand on regarde la météo, le soir, c'est presque comique. Il y a toujours une dépression qui arrive sur la Bretagne. Soit elle s'enroule sur elle-même et débarque des îles Britanniques, soit elle descend du nord via la Belgique, soit elle remonte de l'océan Atlantique.

Il fait beau sur la France entière.

Il fait beau sur l'Alsace.

On aurait mieux fait de rester à la maison.

On aurait pu aller marcher dans la Petite France, aller au restaurant. Et ils ne nous regarderaient pas tous avec des gros yeux quand on commence à parler.

C'est Geneviève qui a voulu partir.

C'est elle qui s'est occupée de tout. Le catalogue Bertrand a traîné pendant des semaines dans les toilettes. Elle qui d'habitude est si rapide au petit coin, elle y restait des heures. Et elle entourait, elle cochait, elle barrait avec son stylo rouge.

C'est pour ça que j'ai cédé. Elle avait l'air tellement contente. Elle n'a plus souvent l'air contente, maintenant, Geneviève. Elle a toujours l'air sévère. Je la regarde parfois, de la fenêtre de l'appartement, quand elle va à Cora. Elle se tient bien droite. Pas un cheveu qui vole. Et ça me fait soupirer. Parce qu'elle était différente, Geneviève, quand je l'ai rencontrée. J'ai peur de vieillir avec elle.

C'est elle aussi qui a lancé l'idée d'inviter la gamine.

Les enfants ne viennent pas cette année, elle a dit, alors on n'a qu'à inviter Hannah. Hannah ? Ta nièce. Hannah Gromer ? Tu en as d'autres, des nièces qui s'appellent Hannah ?

J'ai trouvé ça un peu curieux, mais je n'ai rien répondu. De toute façon, je ne réponds plus rien depuis longtemps. Moi, les Allemands de l'Est, je n'ai plus rien à leur dire. Je l'ai vu quand on y est allé en 86. Et puis j'ai bien senti leurs réticences. Je les entendais qui marmonnaient. Il est revenu frimer. Il est riche comme Crésus. Il veut nous enfoncer.

Riche comme Crésus. On aura tout entendu. J'ai travaillé en usine toute ma vie. Et je continue, malgré mes problèmes de dos. Et Geneviève aussi, elle continue. Les week-ends, quand les enfants étaient petits, on allait pique-niquer sur le Grand Ballon. Véronique et Pierre, ils s'appellent, mes enfants. Des beaux noms, ça, Véronique et Pierre. Français, au moins. On est français. On n'est pas allemands de l'Est. On n'est pas allemands du tout.

Geneviève, elle me demande toujours pourquoi je ne regarde pas les chaînes de télé allemandes. Je hausse les épaules. Je ne suis pas allemand, je lui réponds. Je suis français. Et c'est elle qui hausse les épaules. Y'a pas de honte à être allemand, elle dit.

Elle ne peut pas savoir, ça ne lui est jamais arrivé. De toute façon, parfois, la nuit, quand je n'arrive pas à dormir, je les regarde, les chaînes allemandes.

Enfin tout ça pour dire que c'est elle qui a voulu venir ici. Au début, elle voulait aller sur la Côte d'Azur, mais c'était trop cher, les locations. Et je n'ai plus envie de faire du camping. À cinquante-cinq ans, on n'a pas envie de faire du camping.

Alors, va pour la Bretagne.

L'autre bout de la France.

La dernière escale avant les États-Unis.

Quand j'ai enterré ma vie de garçon, en 73, il y avait un jeune à l'usine qui travaillait pendant les vacances pour partir aux États-Unis. C'était son rêve, les amerloques. Jean-Michel Courtine, il s'appelait. Je me demande ce qu'il a pu devenir.

Je me demande surtout pourquoi je me souviens de trucs qui ne me servent à rien. J'ai la mémoire encombrée de détails idiots. Geneviève me le dit tout le temps. Si au moins tu pouvais te souvenir de tous les tirages du loto ou des prix des cadeaux au Juste Prix, ça pourrait peut-être servir.

Je hausse les épaules.

Enfin tout ça pour dire que maintenant, on est en Bretagne et que Geneviève passe le plus clair de son temps à la cuisine à préparer les repas, comme à la maison, et qu'en plus, elle est tout le temps de mauvaise humeur parce qu'elle ne trouve pas de saucisse fumée ou de palette au supermarché. Et le poisson, elle n'aime pas ça. Ni les crustacés.

En plus, la petite, elle s'ennuie. Elle passe des heures à regarder la rue. Elle prend son K-way et elle sort toute seule. Elle va à la plage, mais comme il pleut la plupart du temps, il n'y a rien à faire. Elle aurait pu venir avec son copain, quand même. Mais je suis sûr que Geneviève a oublié de l'inviter, celui-là. Elle a vingt-six ans, Hannah.

À vingt-six ans je n'étais en France que depuis deux ans. J'habitais Mulhouse.

Je me souviens de ma première nuit en France, après la fuite. Je voulais échapper au mur. J'avais peur de tout le monde. Je n'avais plus d'argent. Je me suis installé sous un porche — mon premier domicile dans le pays. C'était le mois de mai. Mai 1961. Un couple est entré en riant et a allumé la lumière. J'ai cligné des yeux et j'ai bredouillé des excuses.

Monsieur et madame Maître. Des gens bien. Je suis resté un mois chez eux. Ils avaient un gamin d'une dizaine d'années. Adorable, le gamin.

Pourquoi est-ce que j'y pense, encore ? Je pensais que les vacances me videraient la tête. Mais non, les vacances, ça ne vide qu'une chose : le porte-monnaie.

Tiens, il a cessé de pleuvoir.

christophe courtine

Il m'agace. C'est dingue ce qu'il peut m'agacer. Regardez-le. Il est suffisant, vantard. Et vulgaire. Ses blagues ne font rire personne à table, mais il continue quand même. J'ai honte de lui. Je ne dis rien, je mange mes coquilles Saint-Jacques avec application. J'essaie d'être son contrepoint, son négatif parfait. Regardez-le. Il ne sait pas manger proprement. Il me dégoûte.

Ailleurs.

Si seulement je pouvais être ailleurs. Je voulais partir en Espagne avec des copains, mais il n'a pas voulu, bien sûr. Et qu'est-ce que tu crois, que tu vas partir comme ça, tu es sous mon toit et tu dois te plier aux règles de la famille, et puis avec quel argent tu partirais, hein ! le nôtre ? Tu peux toujours courir, il faudra travailler pour gagner ton argent de poche, et puis tu as eu un scooter l'année dernière, déjà que je ne voulais pas et que c'est ta mère qui a insisté, alors on en reparlera dans quelques années, moi quand je suis parti en voyage, j'avais tout économisé, j'avais sué sang et eau à l'usine pour me le payer.

Et vlan ! Le voyage aux États-Unis. On y a droit à toutes les sauces. Dès qu'il a un coup de blues ou qu'il a bu un coup de trop. Son arrivée à Kennedy Airport, ses voyages en stop, la Louisiane, on dort dans des hôtels pourris, on rencontre des gens formidables, on vit des moments extraordinaires. Il me gonfle avec les États-Unis.

Même pas capable de se rendre compte que presque vingt ans ont passé, qu'ils ont élu Reagan et Bush, qu'ils s'entre-tuent dans les lycées, qu'ils sont les champions de la misère dans le monde, qu'ils se prennent pour les rois du monde et qu'ils nous imposent leur modèle culturel débile à coups de Roue de la Fortune ou de Rick Hunter.

Non, pour mon père, les États-Unis restent LA référence. Des gens qui se parlent et qui communiquent, la terre de la liberté et de la démocratie. J'ai honte, vraiment.

Je me demande comment on peut être épris à ce point de liberté et de démocratie et empêcher son fils de seize ans de partir en vacances en Espagne avec des copains. Je me demande comment on peut parler des années soixante-dix avec autant de ferveur et être à ce point réactionnaire. Je me demande surtout comment il fait pour ne pas se rendre compte qu'il emmerde tout le monde avec ses pauvres souvenirs et ses tirades moralisatrices.

Ah ! ça, Eva, c'est sûr, elle est mieux traitée. Eva, c'est sa fille. Sa chouchoute. Quatorze ans et un air angélique. Ô père, je bois toutes vos paroles et elles me sont un élixir de douceur. N'empêche qu'avec ses airs de sainte-nitouche, elle fume déjà du hasch en douce et je suis sûr qu'avec son allumé de copain, ils ne font pas que jouer à touche-pipi. Un peu plus et il venait en vacances avec nous, son crétin de mec. Heureusement qu'on y a échappé. Il ne peut pas, il travaille à la Poste. Un modèle pour mon père. Un p'tit gars sérieux qui bosse pendant les vacances. Facile aussi, sa mère est factrice et c'est passe-droits et compagnie, à la Poste.

Moi, j'ai envoyé des dizaines de C.V., j'ai reçu deux réponses qui stipulaient que comme je n'avais pas encore seize ans et que je ne les aurai qu'en octobre, je pouvais toujours me brosser.

Le pire, c'est que j'ai demandé à mon père de me pistonner pour avoir du boulot dans sa boîte et qu'il est entré dans une colère noire en hurlant qu'il ne rentrait pas dans ce petit jeu-là, que dans la vie, je ne pourrai compter que sur moi, que je n'avais qu'à me débrouiller tout seul.

Et c'est comme ça que je me retrouve encore à Perros-Guirec, dans la même maison que l'année dernière, avec le même vaisselier rustique hideux, la même fuite dans les toilettes, les mêmes crêpes faites par ma mère et les mêmes vannes aux repas. Et la même sœur avec son visage poupin et ses yeux à qui on donnerait le Bon Dieu sans confession.

J'ai l'impression que le temps s'est figé. Parfois, j'en fais des cauchemars. Je rêve que j'ai trente ans et que je passe les vacances exactement de la même façon.

Ah ! merde, ça y est, il m'a remarqué, je vais encore en prendre plein la gueule. Surtout qu'il a abusé sur le rosé. Je vois du coin de l'œil le regard de ma mère. Elle est inquiète. Elle se dit que je vais répondre. Que ça va encore dégénérer.

Et qu'il va falloir passer la soirée à tenter de sauver ce qui peut l'être.

Alors, t'as pas essayé de trouver du boulot dans le coin... tu pourrais aller ramasser des moules au lieu de tourner dans la maison.

Pas l'âge.

Hein ? J'ai pas entendu.

Je n'ai pas l'âge qu'il faut pour travailler.

Y'a pas d'âge pour bosser. Moi quand j'ai vraiment voulu quelque chose, je l'ai obtenu. J'ai travaillé dur et je l'ai obtenu. Mais évidemment, vous, tout vous tombe tout cuit dans le bec.

Papa ?

Oui, Eva. Qu'est-ce qu'il y a, mon cœur ?

Papa, tu nous emmerdes.

Silence. À peine brisé par la poêle que ma mère vient de lâcher et qui s'est écrasée sur le sol de la cuisine.

Papa, tu nous emmerdes vraiment. Tu nous bassines toute la journée avec ton voyage à la noix. Tu ne vas pas passer le restant de tes jours à raconter en long en large et en travers un séjour de trois semaines aux États-Unis alors que personne n'en a rien à cirer. Tu ne vas pas non plus continuer à passer tes nerfs sur Christophe alors qu'il n'a rien fait. Tu te comportes exactement comme ton père se comportait avec toi. C'est grand-père qui me l'a raconté.

Et tu sais quoi, Boris, il n'a pas trouvé de travail à la poste. Il fout rien, Boris, cet été. Mais il ne serait pas venu avec nous pour un empire. À cause de toi. Tellement t'es chiant. Tellement tu fais chier tout le monde.

Tout ça en souriant, le visage doux comme un oiseau tombé du nid, les grands yeux bleus innocents.

Il se lève avec difficulté. Il respire fort. Je me prépare à intervenir. S'il la gifle, je le gifle aussi. Des mois que j'attends ça. Il est tout blanc. Vitreux.

D'un seul coup, il se précipite vers la porte et il sort à toute vitesse. Il pleure. Je l'entends pleurer. Il s'éloigne mais je l'entends quand même. J'en suis tout secoué.

Eva se retourne vers moi. Pas une trace d'émotion sur son visage. Elle dit seulement : J'ai bien fait, non ?

Je hoche la tête.

Maman hoche la tête.

Je ne voudrais pas être mon père.

fabienne rozé

J'ai parlé avec cette fille sur la plage.

Je voulais juste lui demander du feu, au départ. Elle a eu tellement de mal à comprendre ce que je voulais, elle avait un tel air de défiance que je suis partie d'un éclat de rire incontrôlé. Et elle n'arrêtait pas de s'excuser, moitié en français, moitié en allemand.

Je me suis souvenu de mes cours de langues. Quelques restes rouillés, mais ça a suffi pour faire revenir le sourire sur ses lèvres. Et puis, après, un franc éclat de rire aussi.

Les enfants jouaient un peu plus loin. Alban avec son ciré jaune et ses bottes vertes qu'il ne veut jamais quitter. Théo en pull marin. Le cliché de la Bretagne.

Elle vient de l'Est. C'est la première fois qu'elle voyage en France. Elle m'a plus ou moins raconté l'histoire de sa famille, mais je n'ai pas tout compris.

Je n'ai pas tout suivi, en fait. C'est un peu le problème en ce moment. J'engage des conversations, je m'intéresse sincèrement à ce que mon interlocuteur dit et puis, d'un coup, je décroche, je pars dans mes pensées et j'ai beau me répéter qu'il faut que je me concentre, je n'y parviens pas.

Là, aujourd'hui, c'est simplement parce que cette fille m'a dit qu'elle avait vingt-six ans.

Vingt-six ans.
Tout de suite, j'ai revu la plage de l'Almanar.
L'appartement de Francis.
C'était tellement petit.
J'avais tellement l'habitude de l'espace, du luxe, des cloisons abattues. J'avais l'impression de vivre dans une maison de poupée. Et Francis qui n'arrêtait pas de s'excuser, comme cette fille sur la plage. Cette fille qui continuait de parler.

Je trouve que vous ne vous rendez pas compte. Pardon ? Vous, les de l'Ouest. Vous ne vous rendez pas compte. De quoi ? Des problèmes... De l'argent... Nous, par exemple, des fruits... On n'a jamais eu de fruits. C'est une surprise tous les jours. Vous trouvez qu'on est plus heureux que vous ? C'est sûr. Sauf, vous ne vous rendez pas compte. L'argent, ce n'est pas tout.
Encore une fois, elle a éclaté de rire, en rejetant ses cheveux en arrière. Elle a secoué la tête. Elle a ajouté : C'est ce que je dis, moi, vous ne comprenez pas.

L'argent.
Je me souviens de l'argent. Je me souviens de sa puissance.
Tu téléphones dans les restaurants complets, tu donnes ton nom et tu ajoutes celui d'une ou deux célébrités locales ou nationales, et d'un seul coup on te trouve de la place.
Tu reçois des invitations aux spectacles, à des cocktails dînatoires, à des soirées privées. Tu rencontres les stars éphémères de la chanson. Tu participes à des nuits à la bonne franquette où tout le monde se met à

chanter des chansons populaires et qu'on trouve, totalement par hasard, retransmises une semaine plus tard sur une chaîne de télévision. Tu n'avais même pas remarqué la caméra.

Je me souviens de la saleté.

Je me souviens de ce qu'il fallait endurer.

Les reproches muets de ma mère, le visage fermé et le menton en avant. Ma fille, tu n'es pas en position de donner ton avis. Ton père et moi pensons que c'est une sage décision. La distance de mon père. Fabienne, vous êtes une héritière en puissance, il faut vous conduire en héritière. L'appétit vient en mangeant. L'amour vient en vivant ensemble. Texto.

Et puis lui.

Son arrogance.

Ses manipulations.

La manie qu'il avait de vérifier le compteur kilométrique de la BM. Et on peut savoir où tu es allée aujourd'hui ? Et combien de temps ? Et avec qui ?

Et finalement le voir se vautrer sur d'autres filles quand il avait trop bu...

Je n'ai jamais su qui avait envoyé les cassettes.

Un jour, il était à Paris, j'étais dans la location de Hyères, et elles sont arrivées au courrier. À mon nom. Je commandais tellement de trucs que je n'y ai pas vraiment prêté attention. Dans l'après-midi, je m'ennuyais, je les ai enclenchées dans le magnétoscope.

Je ne suis jamais tombée si bas dans le dégoût. J'avais l'impression d'avoir touché le fond, mais le sol était visqueux et instable. De la boue. De la vase.

Toutes ces filles. Avec les dates incrustées sur l'écran. Certaines si jeunes. Des Polonaises, des Roumaines, des Allemandes de l'Est. Soûles. Si soûles. Et lui. Ce qu'il leur faisait. Je ne veux plus y penser.

Je secoue la tête.

Je veux les faire disparaître.

Vous voulez prendre café ?

Je mets un moment avant de réagir. La fille est là, souriante, amicale. Non. Elle ne pouvait pas en faire partie.

Les enfants sont remontés vers nous. Ils prennent leur goûter. Hannah leur apprend à compter en allemand.

Tout ça, c'est loin.

Tout ça, c'était il y a dix ans.

J'ai trente-six ans, j'ai deux enfants, j'ai repris mes études, j'ai trouvé du travail, je suis une femme équilibrée, quelqu'un de bien.

Ce à quoi j'ai échappé. J'en pleurerais presque de gratitude.

Juste parce que, ce jour-là, il y a eu une fuite d'eau, et qu'il a voulu venir voir ce que faisaient les ouvriers.

Juste pour ça.

Je n'aurais jamais pu imaginer la force qui s'est dégagée de moi. Accepter le défi. Divorcer. Me couper à jamais de la famille. Et recommencer. Tout recommencer.

Il faut avoir confiance, Hannah. En quoi ? Je ne sais pas. Dans les surprises de la vie. Je comprends pas. C'est juste que vous avez vingt-six ans, Hannah. Vous ne vous rendez pas compte. C'est ça, vous ne vous rendez pas compte.

vincent decaze

Je regarde Hannah dormir.

Je regarde la rue en contrebas.

Je regarde la cime des arbres qui se balance doucement.

Je regarde les voisins, un couple avec deux enfants, une fille de quatorze ans, un garçon de seize environ, qui plient bagage. Le père qui fait la gueule et qui évite sa progéniture. J'entends leurs voix : Christophe, est-ce que tu as pris la radio d'Eva ?

Je me demande si nous serons comme ça, dans dix ans.

Je nage dans un bain de brouillard dense.

Je viens de prendre le plus grand virage de ma vie.

Une épingle à cheveux.

Je ne sais pas encore si je vais m'en sortir.

Je conduis à l'aveuglette.

Et nous sommes deux, dans la Torpédo.

Bien sûr, depuis quelque temps, tout n'allait pas très bien. Bien sûr, dix ans que nous étions ensemble, la routine, les crises de jalousie, les bouderies sur canapé, les portes qui claquent.

Bien sûr, je me réveillais le matin taraudé par des

questions existentielles que j'essayais d'évacuer d'un geste de la main. Un boulot qui ne me plaît qu'à moitié, une moitié qui ne me satisfait plus pleinement, un appartement qui se met à étouffer les locataires.

On en avait même parlé.

Un passage difficile.

Beaucoup de travail en ce moment, pas le temps de se prendre des vacances, les clients n'attendent pas, le décès du beau-père, des amis qui vous veulent du mal, la trajectoire classique.

Tellement classique.

C'est là tout le problème.

Un soir, vous rentrez chez vous. Vous posez le blouson sur le canapé. Vous allumez la télé, vous vous enfoncez dans le fauteuil et d'un seul coup, la phrase vous attaque, sur la tempe gauche, une migraine familière.

Qu'est-ce que je fais ici ?

Vous regardez le salon meublé chez Habitat avec quelques touches d'Ikea, la chaîne hi-fi haut de gamme, les vêtements sur la patère de l'entrée, et ça ne ressemble pas à ce dont vous aviez rêvé.

Vous imaginez un appartement délabré, des meubles branlants, une révolte sous-jacente.

À la place, il n'y a rien.

Alors vous partez en vacances.

Seul.

Et le troisième jour, au matin, vous êtes sur la plage et cette fille vous observe.

Vous lui souriez.

Étonnant.

Sourire aux filles est devenu comme irréel.

Comme impossible.

Les filles ne font pas partie de votre vie.

Au bout d'un moment, elle s'approche.

Elle parle un très mauvais français.

Elle cherche un endroit où prendre le petit-déjeuner, elle n'a pas eu envie de subir sa famille ce matin, dans la maison de location, et elle meurt de faim.

Vous sentez vos lèvres qui s'étirent.

C'est plus qu'un sourire.

C'est une détente de l'être.

Plus tard, elle demande : vous êtes venu seul ? Vous hochez la tête. Elle insiste.

Célibataire ?

Si on veut.

Ah !

Disons, en instance de rupture.

Pardon ? Je comprends pas.

Presque séparé.

Comme moi. Mon fiancé devient difficile. Il devient... comment vous dites, un gros con.

Vous éclatez de rire, bien sûr. Et vous ajoutez : J'ai le même problème.

Votre femme ?

Mon mec.

Pardon ? Je suis pas sûre d'avoir compris.

Je crois que si.

Il y a un long silence.

Il y aura beaucoup de longs silences sur la plage, sur les rochers, dans les forêts, dans les cafés. Beaucoup de longs silences jusqu'à la demande.

Vincent... tu... enfin est-ce que tu couches ?

Avec les filles ?

78

Oui.

Je ne sais pas.

Comment, tu ne sais pas ?

Jamais essayé.

Ah ?

Quinze jours.

Ensuite, il a fallu convaincre l'oncle Otto et la tante Geneviève. Il a fallu rassurer, et surtout taire. Il a fallu rappeler qu'Hannah avait vingt-six ans. Il a fallu monter sur les ergots. Il a fallu menacer et être menacé.

Et puis, ils ont cédé.

Nous sommes là, entre deux eaux.

Août touche à sa fin. Mes vacances aussi. Hannah essaie d'imaginer Paris.

Je téléphone à gauche et à droite pour savoir qui peut nous passer un appartement, mais toutes les portes se ferment.

La communauté t'exclut.

Tu as enfreint le tabou.

Tu as commis l'irréparable.

Ils se rangent tous du côté de Philippe et ils sont prêts à rendre justice.

Sauf une.

Line.

Sa mère.

Line a appelé ce matin. Elle s'en va quelque temps en Bourgogne avec son nouvel ami et elle nous prête le F3 à Val-de-Murigny. Elle nous souhaite bonne chance.

J'ai juste demandé pourquoi.

Elle a dit : tu m'as fait changer de vie, Vincent. Je te rends la pareille.

Les voisins viennent de partir.

Hannah a gémi dans son sommeil.

Je ne sais pas où je vais, mais j'ai le cœur qui bondit et veut s'évader.

Je n'ai pas ressenti ça depuis des années.

Arromanches
Calvados
2002

eva courtine

J'avais dit plus jamais.

Déjà au moins cinq ou six ans que j'avais pris la tangente. Ne comptez pas sur moi pour les réveillons, pour le lundi de Pâques et pour les grandes vacances. Je passerai vous voir quand bon me semblera. La famille, j'en ai ma claque.

Curieusement, ils l'avaient plutôt bien pris.

J'en avais même été un peu vexée.

Je suis leur fille, tout de même.

Et là, vlan.

Je me retrouve comme quand j'étais môme.

En vacances avec les parents.

À vingt-quatre ans.

L'autre qui a tout raté.

C'était ça ou la rue.

Le point d'orgue d'une année qui tue.

Larguée par le mec avec qui j'étais depuis deux ans, qui est parti rejoindre une autre fille enceinte de lui depuis six mois, plus assez d'argent pour payer l'appartement, une déprime tellement persistante que j'en loupe le C.A.P.E.S.

Vidée du poste de surveillante que j'occupais tranquillement depuis cinq ans.

D'un seul coup, plus rien.

J'ai fait la liste de ce qui m'appartenait.

Un lit deux places en pin.

Hideux.

Un laser disc et l'intégrale de Björk et des Sugarcubes.

Une imprimante jet d'encre sans ordinateur.

Un petit frigo — taille soixante centimètres.

Et un fauteuil.

Encore que, le fauteuil, il appartient à mes parents au départ.

Alors, un soir, sans prévenir, je me suis retrouvée dans la banlieue, devant la petite maison, il faisait nuit, j'ai sonné, ils ont ouvert. Ils n'ont pas dit grand-chose. J'attendais les cris, les récriminations, les plaintes, les fatwas, mais il n'y a eu que les longs silences et les dialogues courtois.

Mon père et ma mère ont ensemble des conversations courtoises. Très civiles.

Ils vivent chacun leur vie, depuis que nous sommes partis, Christophe et moi, et ils ont signé un pacte de non-agression.

La vie coule doucement et paisiblement.

Parfois même, ils se sourient.

Je ne les reconnais plus.

Je vis avec eux depuis trois mois.

Je les quitte à nouveau en septembre. J'ai trouvé un nouveau job à la FNAC.

Au stock. Rien de très brillant, mais bon. C'est un début.

Je me reconstruis.

Je sais très bien le faire.

Me reconstruire.

Pierre par pierre, joint par joint, carreau par carreau.

J'aurais dû être maçonne.

Alors, quand ils m'ont demandé si je voulais rester seule, dans la petite maison de banlieue, ou si je voulais venir avec eux en Normandie, avec leurs amis, j'ai dit non, merci, je vais rester à Paris.

Et le lendemain, j'avais changé d'avis.

Parce que la perspective d'août en banlieue, seule, c'était pire que tout.

J'ai rencontré leurs amis.

Je ne savais même pas qu'ils en avaient, des amis.

Ça aussi, c'est nouveau.

Les Veriniani, des collègues de bureau qui ont un temps habité dans le Sud-Est, avant d'émigrer à Paris. Les Veriniani et leur fils Léo, qui doit avoir quatre ou cinq ans de moins que moi. Le genre de gamin qui n'a pas encore grandi et qui reste collé aux basques de ses parents. Inconsistant. Immature. Gentil, à part ça.

Les Decaze — Vincent et Hannah et leurs jumeaux. Eux, je les trouve plutôt sympathiques. Sur le retour, mais sympathiques. Il paraît qu'ils se sont rencontrés en vacances, à Perros-Guirec, et qu'ils louaient la maison en face de la nôtre. Je n'en ai aucun souvenir. Ils l'ont relouée l'année d'après, mais moi, l'année d'après, j'étais partie étudier l'anglais à Basingstoke, dans une famille d'accueil débile à qui j'ai dû laisser un souvenir détestable. Sauf au fils. Mmmh, sauf au fils. Matthew. Enfin, tout ça pour dire que l'année d'après, ils ont sympathisé avec mes parents, paraît-il. Ils se sont revus à Paris et de fil en aiguille, ils sont devenus des familiers de la maison. Dix ans qu'ils sont ensemble, mais on dirait toujours des jeunes mariés. Ils se prennent des fous rires pour un rien.

Et puis le petit nouveau de la bande : Julien Cami. Trente-huit ans. Beau gosse. Un rien ténébreux.

Travaille avec le père Decaze, à ce qu'il paraît.

Je suppose qu'il a été invité au dernier moment.

Qu'il m'est réservé.

La môme, elle est toute seule, il faudrait la distraire.

La môme, en fait, elle sait se distraire toute seule.

Elle cause avec la propriétaire de la maison, Maud.

Soixante-cinq ans.

Veuve.

Pétante de santé.

Elle loue sa maison pendant les vacances pour pouvoir l'entretenir pendant le reste de l'année. Un legs de la famille de son mari. Trois étages, un appartement complet par étage. Une folie.

Elle, l'été, elle habite au rez-de-chaussée.

Elle passe comme une ombre dans le jardin.

Elle se fait oublier.

C'est moi qui suis allée vers elle.

Je lui ai demandé de m'offrir un café.

J'avais besoin de parler.

De tout.

Et parler, au milieu des trois familles, c'est impossible.

Ça piaille dans tous les coins, ça met des heures à se mettre en route pour la plage, le soir ça parle de barbecues, d'investissements, ça raconte des anecdotes de bureau, ça donne de fausses confidences sur la vie de couple, ça roule sur les autoroutes de la conversation, les signes astrologiques, les impressions de déjà-vu, la biokinésie, le Feng-Shui, Internet.

Du bruit.

Tout ce bruit.

Maud m'a écoutée.

Sans sourire. Sans soupirer. Sans faire autre chose.

J'y suis retournée le lendemain.

Le troisième jour, elle a ouvert un album de photos.

Elle a raconté.

J'en ai oublié jusqu'à ma propre histoire.

julien cami

C'est drôle d'être là. Si on m'avait dit, il y a trois mois, que je passerais mes vacances avec des gens que je connais à peine je crois que j'aurais éclaté de rire. C'est un peu comme ces amis bouche-trous que t'as de temps à autre et qui remplissent les soirées vides sur ton agenda. Tu voudrais avoir le courage de dire non, ce soir, je reste chez moi, je lis ou je regarde un film, mais t'as jamais été très courageux. Alors, tu sélectionnes un bouche-trou, il est content comme tout d'avoir été élu, et tu passes la soirée à te demander ce qui t'a pris de choisir un connard pareil.

Je passe mes vacances avec des bouche-trous.

Vincent Decaze, mon supérieur hiérarchique, sa femme et leurs enfants — insupportables, tous autant qu'ils sont. Heureux de vivre, toujours en train de sourire, une vraie pub télé pour les produits laitiers. Élevés dans le coton.

Chouchoutés, dorlotés. J'imagine la rencontre, lors d'une fête improvisée chez les vieux, l'évidence de l'union, même milieu, mêmes aspirations, mêmes goûts.

Au boulot, il est pareil Decaze, insupportable de joie de vivre. T'as tout de suite envie de lui flanquer ton poing dans la gueule. Et tu rêves qu'il lui arrive des trucs dégueus genre accident de voiture, meurtre, viol. Il y a des gens comme ça qui attisent la haine.

Simplement, on n'est pas forcé de passer ses vacances avec eux.

Et encore, ce ne sont pas les pires.

Les Courtine. Un vrai poème. Lui, il est lourd, avec ses vannes usées et ses pauvres réflexions à deux francs. Elle, elle ne vaut pas mieux avec son obsession pour les Tupperware et les produits ménagers. À eux deux, ça ne pouvait pas donner des merveilles. Et ça a donné leur fille. Vingt-quatre ans, elle en paraît quinze. Complètement tarée, la pauvre. En plus, je sens bien qu'elle aimerait qu'il se passe quelque chose entre nous. Elle fait bien attention de ne jamais se trouver sur mon chemin, elle passe à des kilomètres de ma serviette sur la plage. Pauvre fille. Des comme toi, j'en ai eu des tonnes, alors tu peux toujours t'accrocher.

L'autre couple, là, les Veriniani, eux, ils me foutent à peu près la paix. C'est comme si je n'existais pas pour eux. Ils me regardent bien de travers de temps à autre, mais bon, moi aussi sans doute, alors c'est match nul, balle au centre. Leur gamin, par contre, il est aussi con qu'il en a l'air. Et toujours à ramener sa fraise et donner ses pauvres idées sur tout, heureusement que les autres le rembarrent, sinon, j'en péterais les plombs, de ce môme. Je me souviens vraiment pas avoir été aussi con à vingt ans.

Bon, j'ai fait des conneries, soit, mais au fond, je savais quand même ce que c'était que la vie.

Ce môme, il devrait aller en boîte, picoler, fumer des joints, au lieu de traîner en vacances avec des vieux croûtons.

La Courtine, encore, je comprends, elle me reluque, elle attend qu'il se passe quelque chose, mais lui, qu'est-ce qu'il nous colle aux basques toute la journée ?

Il est peut-être pédé, va savoir. Moi, je m'en fous, du moment qu'il s'attaque pas à ma raie.

Enfin, je me demande vraiment ce que je glande ici.

D'ailleurs, je crois que je vais pas rester longtemps. Mais avant de partir, faudra quand même que je subtilise deux ou trois objets de valeur à la vieille peau qui nous loue la maison. Encore une bourge qu'a jamais souffert du manque.

C'est pas que moi, j'en ai trop souffert non plus, mais je supporte pas ceux qui ont trop de fric. Tu le sens, le manque d'efforts. Moi, les efforts, je sais ce que c'est. Commencer tout en bas de l'échelle et grimper petit à petit. D'abord apprenti boulanger, lever trois heures du mat, des journées de dingues, à peine tu rentres de boîte que tu vas au boulot, t'as encore les dents du fond qui baignent dans le Malibu et t'as toutes les odeurs de cuisine qui t'arrivent dans le nez.

Après, une injustice et vlan ! la tôle. Pas longtemps d'accord, mais suffisamment pour que plus personne ne veuille entendre parler de toi, ni ta famille, ni ton patron. Et les amis qui se défilent. Et tu dois tout recommencer. Les centres de formation, les stages A.N.P.E. — réinsertion, Ah ! finalement, il est pas si con que ça, lui, on pourrait p't'être lui faire apprendre quelque chose, genre la compta, heeeiinn ? Mais t'es taré, c'est un repris de justice. Ouuaaiis, mais bon, ça ferait genre on s'occupe aussi des exclus. Et puis t'as vu sa gueule ? Ouuaaiis, j'en parlais justement à Jocelyne, il est hypermignon, il a une gueule d'ange, bon d'accord on le forme.

Je suis pas né de la dernière pluie. Je sais pourquoi je m'en suis sorti. Parce que je suis bien foutu, que j'ai une petite gueule de lopette et qu'on me donnerait le Bon Dieu sans confession. J'aurais pu devenir boys band, acteur de série télé, animateur ou Brad Pitt. Je suis devenu comptable.

Mais je continue de prendre des cours du soir pour devenir star.

Quand je les regarde tous, autour de leur putain de table "pour dîner dehors", avec leur barbecue à la con, parfois j'ai envie de gerber. Je pense à ceux qui ont plongé avec moi. Ceux qui sont toujours en tôle. Ceux qui y sont retournés. Et ceux qui y sont restés.

Mon meilleur pote, Benoît, il y est resté. Il s'est pendu dans sa cellule, deux mois après le procès. Il a pas supporté. Faut dire qu'on l'avait tous chargé.

Mais c'était une question de vie ou de mort. Il y en a un qui doit se sacrifier pour que les autres s'en tirent avec moins de gâchis dans leur vie, c'est ce que me répétait mon avocat. Benoît, il avait pas voulu prendre d'avocat. Il disait que c'était des branleurs. C'est des branleurs, ouais, mais des branleurs qui s'y connaissent en droit. Et des fois, ça sert.

Alors il a pas compris, Benoît.

On est rentré tous les quatre dans le box des accusés, lui, il frimait, il nous faisait des clins d'œil, il déconnait. Moi, j'avais bien vu la télé, les journalistes, ça avait pris de l'ampleur, cette couillonnade. Je m'étais fait ma tête de trois pieds de long genre "j'm'en veux, si vous saviez comme j'm'en veux". J'ai vu que les deux autres faisaient pareil. Eux aussi, ils avaient pris des avocats.

Même quand le père de la gamine est venu, il a continué ses conneries, Benoît. Un peu plus et c'était de sa faute, au père, qu'il avait qu'à la surveiller de plus près, sa fille et que lui, il avait rien à voir là-dedans.

C'est ce que je voulais dire au début aussi, mais mon avocat m'a bien expliqué que les preuves étaient accablantes. Que tout se jouerait sur le regret. L'alcool, la drogue, un jeu qui tourne mal et le regret après.

Alors, il a pas compris Benoît quand, l'un après l'autre, on l'a accusé. C'était facile de l'accuser, en plus. Parce que c'était lui, le copain de Sabrina. Que c'était lui qui nous l'avait présentée. Que c'était lui le plus bagarreur, le plus teigneux.

Alors, on a tous sorti qu'il avait prévu la soirée, qu'il savait à l'avance qu'on allait la violer tous les quatre, mais qu'on n'était pas au courant, on s'était laissé influencer, l'effet de groupe, quoi, et puis qu'on voulait en rester là, on commençait à se sentir mal, mais que lui, il avait parlé de témoin gênant et de trucs comme ça, et qu'il nous avait monté le bourrichon. Et que c'est lui qui s'était chargé de la terminer.

C'était bien huilé comme histoire. Personne ne pouvait douter de sa véracité. Même nous, on a commencé à y croire.

Il était tellement surpris, Benoît, qu'il est devenu tout pâle. Incapable de répliquer. Et l'avocat commis d'office aussi. Il a commencé à suer, à balbutier, à s'embrouiller. Et Benoît en a pris pour perpète. Et nous de cinq à dix ans.

Moi pour cinq. Une petite remise de peine pour bonne conduite. Quatre ans d'enfer.

J'ai beau faire le con, je m'en suis jamais remis.

Je déteste tous ceux qui n'ont pas connu ça.

Je les déteste et je les méprise.

Comme eux, là, avec leurs pauvres problèmes et

leurs prises de tête sur la vieille peau qui ne les laisse pas tranquilles. Avec leur gueule enfarinée et leur politesse à la con.

Je me suis jamais vraiment remis du suicide de Benoît non plus. La fille, j'y pense moins. J'étais pas tout seul. J'ai été influencé. C'est ce qu'a dit le juge.
Y'a pas de raison que je le croie pas.

léo veriniani

Je les regarde vivre et je m'oublie dans leurs vies.

Je les trouve tristes.

Tous.

Attachants et tristes.

Alors, j'essaie de faire diversion. Je m'immisce dans leurs conversations et je donne mon avis. Enfin, non, pas mon avis. L'avis qu'ils attendent de la part d'un gamin de dix-neuf ans qui n'a encore aucune expérience de la vie. L'avis du jeune.

Le jeune a dit que. Le jeune pense que. Je les énerve. Je les agace mais je leur permets de se dire, le soir, lorsqu'ils se couchent : je devais être comme ça, quand j'étais jeune, eh bien, je suis content d'avoir vieilli, j'ai acquis de la bouteille, je sais ce dont je parle, je suis une personne équilibrée, heureuse, quelqu'un de bien.

Je sers à ça.

Je suis là pour eux.

J'ai l'habitude.

C'est le rôle que je joue déjà à la maison. Je suis le fils normal d'un couple normal qui prend normalement sa place dans la communauté humaine.

Et c'est ce que je voudrais être.

Un homme normal.

Pas obligatoirement un homme extrêmement sympathique, ni honnête. Juste un homme comme les autres.

La lettre est arrivée juste il y a quelques mois.

Les lettres.

Elles disaient toutes oui.

Oui, encore, des mots d'amour, les mots d'amour que Virginie dit parfois.

Suite à notre conversation téléphonique, nous avons le plaisir etc. etc.

Et puis les coups de téléphone, juste avant les vacances.

Très intéressés par votre roman, bla bla bla... adaptation possible au cinéma, contact avec les U.S., ça vous dirait de plancher sur un scénario ?

Oui.

Et à nouveau, l'éditeur.

Très emballés par le deuxième roman que vous nous avez fait parvenir, nous allons établir un plan de carrière.

Un rendez-vous ?

Oui.

Je dis oui à tout.

Oui. Très heureux.

Et quand ils me rencontrent, ce sont eux les plus intimidés.

J'ai dix-neuf ans et deux ou trois boutons d'acné qui ne se décident pas à disparaître. Un blouson Teddy Smith, un sac Hanson, un pantalon DKNY.

Je ressemble à leurs enfants.

Ils jettent un bref coup d'œil à la couverture du manuscrit.

Quatre cents pages denses.

Des héros qui ont la quarantaine et des questions quarantenaires.

Qu'est-ce que je peux leur dire ?

Je n'ai jamais eu envie d'écrire sur ma génération. Je la vis, ça me suffit.

Je ne suis pas capable de la regarder. En revanche, les adultes, je n'arrête pas de les contempler. Le frémissement de leurs lèvres au moment du mensonge. Le léger tremblement du menton quand l'émotion submerge. Les dissonances. Les faux accords. Ils résonnent en moi. C'est un carillon perpétuel de vies blessées. Je suis leur déversoir. Je ne me l'explique pas. C'est comme ça, c'est tout.

Et après, une fois qu'ils se sont remis de leur surprise, une fois qu'ils se sont assurés que j'étais bien l'auteur de ce qui va être le "meilleur roman de la décennie", alors, c'est l'euphorie. Vite le portable, vite la presse, vite le contact à la télé, vite le prodige, vite les lumières de la ville. Vite, tout faire pour la sélection du Goncourt. Des chiffres records de vente si vous jouez le jeu.

Je jouerai le jeu.

J'ai l'habitude.

Et vos parents ? Vos amis ? Ils prennent ça comment ?

Ils ne savent pas.

Comment ?

Ils ne sont pas au courant.

Ah !

Silence.

Je les vois, les éditeurs, les lecteurs, les journalistes, les messieurs-cinéma. Pendant un bref instant, ils doutent. Ils regrettent. Quand j'avais cet âge-là, est-ce que j'aurais pu... est-ce que j'aurais dû... quand exactement est-ce que j'ai laissé tomber... j'avais du talent, pourtant... en terminale, j'avais écrit une nouvelle... le tour du lycée, elle avait fait.

Pendant un bref instant, ils me détestent. Je ravive leurs failles et leurs fêlures. Et ils voient dans mon regard la compassion. Et ça les tue. Dans quelques années, ils me déchiquetteront, ils m'anéantiront. Mais pour l'instant, ils ne peuvent pas.

Ils ne peuvent que me révérer.

Et courber la tête.

Tout cela va exploser dans quinze jours. La sortie du premier roman est prévue pour le premier septembre. La première télé le huit. Et après, l'enchaînement.

Moi, je voudrais être normal.

Je voudrais être l'amoureux transi et maladroit d'Eva Courtine, qui me rejetterait et m'humilierait parce qu'elle me trouverait trop jeune, trop bête, trop immature.

Je voudrais un chagrin d'amour.

Je voudrais tomber d'admiration devant Julien Cami et sa stature de jeune premier.

Je voudrais être adopté par les Decaze et aller à la pêche avec lui. Et apprendre, bouche bée, son cheminement, le changement d'attirance, le passage des hôtels à l'autel.

Je les connais déjà, leurs romans. J'ai entendu leurs silences, leurs cris, j'ai remarqué les changements de couleur, j'ai deviné leurs détours.

Au bout de quelques jours, leurs histoires se dégagent en lignes claires et fortes, les tonalités sont crues, les douleurs sont sévères.

Je n'ai plus qu'à changer les noms.
Et j'attends qu'ils me détestent.
Je n'ai pas choisi de pseudonyme.

Il n'y a qu'une histoire que je ne raconterai pas.

Parce que les mots me manquent.

Parce que chaque fois que j'y pense, je me dis qu'il me reste du chemin à faire pour être capable de transcrire cela.

Je vous regarde, Maud.

Je plonge dans vos yeux, Maud.
Ce sont des abîmes de douceur.

Vous êtes, Maud, le personnage central de mes romans futurs.

maud procureur

Je l'ai reconnu tout de suite.

Non, ce n'est pas vrai. Et puis c'est beaucoup trop mélodramatique. Fin de film, soleil couchant, le héros dans l'embrasure de la porte. La femme du héros qui attend. Tu es en retard. Les embouteillages, chérie.

Aucun rapport.

D'abord, je m'en doutais. J'avais reçu la lettre des Decaze, je les avais eus au téléphone, ils m'avaient donné la liste des occupants, nous nous sommes faxé les plans de la maison, les noms des familles venant se coller aux pièces, pour deux semaines.

J'ai gardé le plus bel appartement pour les Courtine. Celui qui a une terrasse. Celui qui reçoit le soleil dès le matin. Je ne sais pas ce que j'attendais. Des remerciements, sans doute. Mais ils ne sont pas du genre à remercier. Le genre de locataires que les gens comme moi n'aiment pas avoir, en fait. Très sur leur quant-à-soi, installant des rapports économiques, vous êtes la logeuse, nous sommes les vacanciers, chacun son monde, ne partageons rien. Moi, j'aime le contact, les propos échangés au cours de la journée, la familiarité.

J'aime oublier qu'ils paient pour le service. J'ai sans doute tort.

Je pense à Charles. Je me demande ce qu'il penserait de mon agitation intérieure. Il dirait : ma vieille, vous êtes en train de perdre les pédales, je croyais que cette histoire n'avait aucune importance, que vous en aviez eu des centaines d'autres, que les hommes vous avaient épuisée, que vous ne vouliez plus que du repos. C'est vrai, Charles, tout est vrai. Mais je n'ai jamais recroisé le chemin de mes conquêtes. Et surtout pas de celle-là. Avec ses conséquences. Enfin Charles, vous n'allez pas me dire que c'est une aventure comme les autres, vous l'avez subie tout autant que moi !

Je sais ce qu'il dirait. Il dirait : avez-vous seulement téléphoné à Tristan ?

Non.

Je n'ai pas téléphoné à Tristan. C'est peut-être de la peur, c'est peut-être du remords, c'est peut-être de la couardise, mais je trouve que, finalement, il n'a pas grand-chose à voir là-dedans.

Et vous non plus, Charles.

C'était bien avant vous, Charles, d'abord.

Je sais que vous l'avez nourri, blanchi, élevé, aimé dans un sens, mais j'ai toujours remarqué votre réticence envers lui. Ne dites pas le contraire, Charles, vous étiez réticent.

Je sais ce que vous répondriez. Vous diriez : vous êtes injuste, Maud. Je vous ai recueillie. Je vous ai donné un foyer, une adresse, une vie.

Je sais que je suis injuste, Charles. Mais mettons les choses au clair, vous en retiriez bien des avantages, non, d'avoir une femme de vingt ans votre cadette ?

Et un enfant dont tout le monde a cru qu'il s'agissait du vôtre. C'est dingue comme les gens sont prêts à avaler n'importe quoi pourvu que la situation puisse s'intégrer à un schéma préétabli.

Vous étiez Charles, le séducteur, l'éternel célibataire, une femme dans chaque casino, l'écumeur des plages du débarquement. Alors, ils ont tout de suite adhéré à cette histoire abracadabrante. Une conquête cachée pendant quelques années, à cause de son origine plus que modeste. Une conquête qui se fait conquérante, qui séduit le plus indépendant des hommes et qui finalement lui donne un enfant. Un enfant élevé dans le plus grand secret, les trois premières années, jusqu'à ce qu'enfin le patriarche meure et que vous, Charles, son héritier, vous vous sentiez le courage de présenter votre compagne et votre enfant à une belle-famille devenue moins rigide et prête à pardonner.

Un vrai conte de fée. De quoi faire pleurer dans les chaumières. Vous auriez dû écrire des romans à l'eau de rose, Charles, au lieu de dilapider votre fortune.

Vous savez, Charles, je n'ai jamais été dupe.

J'ai deviné dès le début votre stérilité.

Et votre soumission aux ordres de la famille.

Et surtout, votre horreur du sexe.

Au début, j'ai cru que c'était un problème de, comment dit-on déjà, d'orientation sexuelle. C'est pour ça que j'insistais pour que vous ameniez dîner à la maison des collègues de travail. Pour voir lequel vous faisait bander, Charles. Mais non. C'était pire que ça. C'était enraciné dans la petite enfance, dans les interdits, dans les rêves. Il aurait fallu des années d'analyse. Et vous avez toujours refusé l'analyse, n'est-ce pas, Charles. Les psychiatres, tous des tordus, hein ?

Cela ne m'a pas dérangé, les premières années, vous savez. C'est vrai que les hommes m'avaient épuisée, que les rencontres d'un soir m'avaient laissée vidée et hébétée, que le travail se dérobait sous mes mains, que je trimballais Tristan d'une pension à l'autre, comme une valise de plus.

C'est au bout de quelque temps, Charles.

Après cinq ou six ans.

Tristan à l'école.

Vous qui continuiez à faire la tournée des casinos, parce que vous aviez une réputation à protéger. On murmurait des noms de femmes, d'aventures, de conquêtes, il n'y avait que moi pour savoir à quel point c'était faux.

Vous m'avez manqué.

Je n'ai jamais pris d'amant, Charles.

J'en avais trop eu, vous comprenez.

C'était de vous dont je voulais être amoureuse.

C'est de là, sans doute, qu'est venue mon obsession. Mon refuge. Mes albums de photos. L'écriture de ces mémoires que personne ne publiera jamais parce qu'elles n'intéresseront jamais personne.

L'histoire d'une femme qui voit sa vie basculer à l'aube de la trentaine quand son enfant disparaît au cours d'une tornade, sur le bord de la mer.

L'histoire d'une femme qui se laisse dériver, se maquille outrageusement, porte des tenues de plus en plus courtes, s'amuse à provoquer le désir.

L'histoire d'une femme enceinte qui n'excite plus personne et descend l'escalier de la débauche, comme vous aimiez si bien le dire, Charles.

L'histoire d'une femme qui vous rencontre, Charles. Et qui en meurt à petit feu, tandis que le garçon se détache et s'envole enfin vers les États-Unis. Le même rêve que son père.

Un roman sentimental. Un feuilleton dans le journal local.

Vous avez hurlé quand vous avez lu le manuscrit, Charles, vous vous souvenez ?

Vous en avez même oublié de vous excuser d'avoir fouillé dans mes affaires.

Je vous entends encore, mon beau, dans la salle de réception vide : mais vous ne vous appelez même pas Maud !

J'ai eu différents noms.

Ils collent tous à une période déterminée.

Je suis un peu de chacun d'eux.

Je n'ai aucune identité.

Danièle, Natacha, Maud.

Quelle importance.

Vous en êtes tombé malade, Charles.

Je ne comprends toujours pas pourquoi. Après tout, vous saviez l'essentiel de ce qu'il y avait à savoir. Je suppose que c'est le reflet de votre propre duperie dans les yeux de votre épouse que vous n'avez pas supporté.

Toujours est-il que vous y avez succombé. À quatre-vingt-deux ans, personne n'a trouvé cela surprenant.

Depuis, je gère la propriété. Je prends des locataires pour les vacances. Et cette année, parmi les locataires, il y a Jean-Michel Courtine.

Je me souviens de son corps, jeune, vigoureux. Du sable sur son dos. Je me souviens de son inexpérience. De ses mains que je prenais pour les diriger sur mon propre corps. De sa langue qu'il fallait discipliner. Je me souviens de ses remerciements.

Je me souviens du médecin qui m'a annoncé en souriant que j'étais enceinte.

J'avais couché avec tellement d'hommes cet été-là, comment pouvais-je savoir lequel était le père ?

C'est plus tard que j'ai deviné. Au fur et à mesure que Tristan grandissait. Il me ressemble si peu.

Avant qu'il n'arrive, j'ai disséminé dans la montée d'escalier, sur les paliers des étages, des photos de notre fils, mais il n'y a pas prêté attention. Personne ne semble les avoir vues, sauf sa fille. Eva. Eva qui vient écouter chaque jour, un chapitre de mon histoire. Eva qui me demande tous les jours comment je fais pour tenir le coup, pour ne pas le hurler à la face du monde, pour ne pas tout dévoiler.

Et je réponds que ce n'est pas très important, après tout. Tristan a presque trente ans, il ne connaît que Charles comme père. Jean-Michel en a presque cinquante, il n'a rien à faire d'un fils supplémentaire, il a déjà deux enfants. A quoi bon. J'ai même retiré hier soir les photos dans la montée d'escalier.

Et ça ne vous fait rien ?

Quoi ?

Je ne sais pas. De le voir tous les jours, de vous souvenir de... enfin, quelqu'un avec qui on a fait l'amour, on... je suppose qu'on se souvient, qu'on...

C'est très différent, quand on vieillit, Eva.

Rien n'est plus faux.

Je le vois nu chaque jour.

Je le sens s'appesantir sur moi.

Et lorsqu'il me croise dans l'escalier et me salue en marmonnant : bonjour, madame, je manque de défaillir. De m'écrouler, en pleurs, dans l'escalier.

Ah ça vous faire rire, Charles, hein ?

Vous avez raison.

Je suis enfin devenue une héroïne de roman sentimental.

Mais le cœur qui cogne à ce point, Charles, les poumons qui cherchent l'air, la main qui s'accroche à la rampe d'escalier, vous voyez, vous ne l'avez pas connu.

Et personne ne me le reprendra, Charles.

Personne.

philippe avril

Pendant tout le trajet, j'ai été ballotté entre des moments de pure excitation et d'autres de désespoir profond. Je ne pensais pas que m'éloigner de Paris serait un tel choc. Je me suis rendu compte que je n'avais pas quitté la capitale depuis plus de dix ans. Et qu'en dix ans, finalement, ma vie avait peu changé. Des rencontres plus ou moins bancales, des espoirs et des attentes, des désillusions et d'autres attentes encore. Pourtant, plus j'avance en âge, plus je me sens léger. Presque aérien. Je me libère des dernières attaches qui me retenaient à la terre.

Ma mère a finalement survécu peu de temps à mon père et ils fertilisent les jonquilles à quelques encablures l'un de l'autre.

Je n'ai rien éprouvé d'autre qu'une sensation d'immense gâchis lors de leurs funérailles.

Ma dernière histoire d'amour s'est soldée par un échec retentissant. Je me suis fait plaquer sans même l'avoir vu venir.

Je n'ai rien éprouvé du tout.

C'est même cette absence de sentiment qui m'a troublé et m'a donné l'air hagard pendant quelques jours.

Je ne suis plus sensible à rien.

Je marche sur un fil et je sens la griserie des sommets qui me gagne.

Quand j'ai reçu le coup de téléphone de Vincent et d'Hannah, je les ai remerciés. Et j'ai ajouté que, malheureusement, je ne pensais pas être libre pour un week-end au bord de la mer. Trop de boulot, trop de projets, trop de tout.

Je suis sûr que Vincent, en raccrochant, a parié que j'allais venir. Il me fallait juste du temps pour intégrer cette nouvelle donnée dans mon avenir immédiat.

Il déteste les surprises, tu sais. Tu lui proposes quelque chose et, à coup sûr, il refuse. Et puis, quelques jours après, il rapplique le plus naturellement du monde.

Hannah et Vincent sont devenus mes meilleurs amis.

Je ne l'aurais jamais cru.

Mais il y a tant de choses que je n'aurais jamais crues.

Je n'aurais jamais cru qu'à trente-neuf ans, je serais célibataire, journaliste radiophonique, gay militant, de plus en plus seul et de plus en plus fier et heureux de l'être.

Je n'aurais jamais cru que Vincent puisse devenir cet hétéro modèle, père de jumeaux turbulents, marié à une Allemande de l'Est improbable.

Je n'aurais jamais cru que mes parents puissent divorcer.

Je n'aurais jamais cru que les gens que je connaissais lorsque j'étais enfant pourraient disparaître sans laisser de traces.

Je n'aurais jamais cru qu'un jour, nous n'irions plus à Capbreton et que je n'y reviendrais jamais.

Sur la route de la Normandie, je pense aux Landes.

Les images me reviennent dans les phares des voitures qui me croisent.

Je me souviens que j'avais toujours eu envie de faire partie du Club Mickey. C'est curieux, non ? Des années plus tard, je ne l'ai toujours pas digéré, le Club Mickey. Il se transforme et renaît sans cesse. Il est devenu maintenant le club de ceux qui avancent dans la vie et laissent derrière eux des traces, des mots, des souvenirs. Des enfants, un livre, un amour ineffaçable.

J'ai emmené dans mes affaires le seul souvenir que Jérôme m'ait laissé — les épreuves d'un roman qui va sortir dans quinze jours et dont il était littéralement tombé amoureux. Il ne voulait pas croire qu'un gamin de vingt ans ait pu écrire ça. Il disait que ça sentait le coup fourré. Je ne sais même pas si j'aurai le courage de l'ouvrir.

Il va d'abord falloir se présenter, s'intégrer dans une société déjà bien établie. Apparemment, Vincent et Hannah partagent avec deux autres couples une espèce de petit château dans une ville au bord de la mer. Le soir, je suppose qu'ils font des barbecues en buvant du rosé et en chantant les tubes des années quatre-vingts.

Quand j'étais petit, c'est comme ça que j'imaginais ma vie plus tard. Je les voyais tous, mon père, ma mère, mon oncle, ma tante, leurs amis de vacances, et je me disais que j'avais envie d'être comme eux. Oui. Parfaitement. Même comme mon père.

Je me souviens qu'une année, dans les Landes, il y avait une femme étrange dans l'entourage de mes parents. Comment s'appelait-elle déjà ? Un prénom bizarre, un truc de bande dessinée... Non, ça m'échappe. Vraiment étrange, la fille. Très maquillée, avec des jupes ultracourtes. Je la revois bien, là, c'est comme une photo un peu passée. Mais impossible de me souvenir de son nom.

Il y en a qui murmuraient qu'elle couchait avec tout le monde. Je me demande si elle a couché avec mon père. Non. Sûrement pas. C'était avec ma mère qu'elle s'entendait le mieux. Après tout, elle couchait peut-être avec ma mère.

Ce doit être cette année-là que j'ai brièvement rencontré ce garçon, Benoît.

Un gamin qui, lui, allait au Club Mickey. On devait se revoir, mais je ne sais plus ce qui s'est passé, en tout cas, ça ne s'est jamais fait.

Je crois que c'était mon premier amour. Non. Ma première érection. Pas la même chose.

Un jour j'écrirai un roman, je le lui dédicacerai, il me répondra que pour lui, ç'avait aussi été magique, nous nous verrons, nous marcherons le long de la plage, et il y aura écrit the end sur le sable. Ce sera beau.

Il me reste environ cent trente kilomètres pour la côte normande. Je vais arriver au milieu d'un barbecue.

Ah ! tu tombes bien, assieds-toi. Les jumeaux, faites une place à tonton Philippe.

Il y a eu Capbreton, puis un jour, il y a eu l'adolescence. J'ai cessé de partir en vacances avec les parents. Menton, Hyères, Toulon, l'Italie, les premières incartades à l'étranger. Les parents qui ne comprennent pas. Mais on est tellement bien en France.

Comment leur expliquer la sensation de liberté et de danger, une fois la frontière passée ? L'impression que tout, maintenant, peut arriver.

En fait, c'est quand Aziz s'est fait tabasser en boîte au Lavandou que j'ai décidé de ne plus jamais partir en vacances en France. Trop glauque. Trop beauf.

Il m'a fallu du temps pour revenir sur mes a priori.

Du temps et des kilomètres. Myanmar, New York, Mexico, Calcutta, Tokyo, Abidjan. Je suis revenu de tout. Vivant. Et de plus en plus léger.

J'ai failli rejoindre Vincent en Bretagne, alors que nous venions de rompre. La voiture est tombée en panne sur le périphérique. J'y ai vu un mauvais signe. J'avais raison. Il fallait que je le laisse vivre sa vie. Prendre son tournant et virer de bord.

Je me suis enfermé dans Paris.

J'avais oublié le picotement des yeux et des mains, au volant, la nuit. L'impression d'indépendance, de liberté que donne la conduite.

Natacha.

Voilà, la femme bizarre à Capbreton, elle s'appelait Natacha.

Arromanches, neuf kilomètres.

Un jour, je devrais essayer de tout raconter.

M'enfermer dans une chambre et raconter les journées sur la plage.

L'odeur des locations, quand on ouvre la porte pour la première fois. Et les idées qui vous assaillent, soudain.

Cette maison va me voir vivre pendant quinze jours.

Qu'est-ce qu'elle retiendra de moi ?

Il y a certainement encore sur les planchers des locations, des particules qui m'appartiennent. Et qui se mêlent à d'autres. D'interminables orgies.

Ah ! c'est là.

Et voilà sans doute la vieille peau dont Vincent m'a parlé.

La logeuse.

Bienvenue au château.

documents joints

Arromanches, le 5 mai 2004.

Cher Monsieur Courtine,

J'ai la douleur de vous informer du décès de ma mère, Maud Promeur, survenu le 29 avril dernier, suite à une crise cardiaque.

Vous vous demandez certainement ce que vous avez à voir là-dedans, étant donné que vous ne la connaissez pas.

Pourtant, en rangeant ses affaires après les funérailles, et avant de repartir à Washington où je réside, j'ai retrouvé une enveloppe sur laquelle était écrit : à transmettre après mon décès à Jean-Michel Courtine, ainsi que vos coordonnées.

Je dois avouer que, poussé par la curiosité, j'ai ouvert le pli qui vous était destiné. Vous le trouverez ci-joint. J'espère que vous ne m'en tiendrez pas rigueur.

Suite à cette découverte, j'ai décidé de différer mon retour à Washington de quelques semaines. J'espère que nous pourrons nous rencontrer avant mon départ pour les États-Unis.

N'hésitez à me contacter au numéro ci-dessous pour convenir d'un rendez-vous.

Veuillez agréer, Monsieur, l'expression de mes sentiments les plus attentionnés.

Tristan Promeur (0231622734)

Extrait du reportage "Affaires publiques"
Arte. 24 juin 2004.

**Entretien entre Pascal Maître, ancien directeur du Crédit
Financier et Eva Courtine, journaliste :**

Aujourd'hui, vous êtes sorti de prison depuis plus
de dix ans, quel regard portez-vous sur ce qu'il
est convenu d'appeler "les affaires des années
quatre-vingt-dix"?
- Je me dis que nous avons été pris par un système.
J'ai de plus en plus l'impression d'avoir été
un pion dans un jeu qui me dépassait.
- Vous regrettez vos exactions?
- On ne peut pas regretter ce qu'on commettrait
encore dans les mêmes circonstances.
- Vous ne regrettez rien alors?
- Je n'ai pas dit ça.
- Excusez-moi, je ne vous suis pas.
- [1]Vous savez, dans ces années-là, j'ai perdu
la confiance de ma famille et de ma femme.
Elle est partie. Je le regrette.
- Vous avez des enfants?
- Non.
- C'est un regret aussi?
- Ce n'est pas le thème du débat.

Strasbourg, le 17.09. 2002.

Cher Monsieur Gromer,

Vous avez demandé le 10 septembre 2002 l'ouverture d'une **deuxième ligne de téléphone.**

Nous avons le plaisir de vous confirmer qu'un technicien France Telecom se rendra à votre domicile le **lundi 21 septembre 2002 à 10 h 00.**

Veuillez agréer, Monsieur, l'expression de nos sentiments les plus dévoués.

Votre conseiller clientèle,

Laure Veriniani

L'Est Éclair, 3 mars 2003

Accident mortel
à Saint-André-les-Vergers

Hier, vers 18 heures 30, la R25 conduite par M. Etienne Lejeune, 60 ans, retraité, demeurant à Troyes est entrée en collision pour une raison indéterminée avec la Renault Clio de M. Julien Cami, 39 ans, comptable, résidant à Nanterre (92).

M. Lejeune, sans doute en proie à un malaise, aurait perdu le contrôle de son véhicule au moment où M. Cami sortait du parking du supermarché Carrefour. Le choc a été effroyable et il a fallu plus de deux heures aux pompiers de Troyes pour dégager les corps de l'amas de ferraille (voir photo).

M. Lejeune souffre de contusions multiples et d'une fracture du crâne mais ses jours ne semblent pas en danger. Il n'en est malheureusement pas de même pour M. Cami, qui devait décéder quelques heures après son transfert à l'hôpital de Troyes.

Dans ces circonstances douloureuses, le journal adresse ses sincères condoléances à la famille de M. Cami.

BRODARD & TAUPIN

à La Flèche (Sarthe)
en décembre 2011

POCKET – 12, avenue d'Italie – 75627 Paris Cedex 13

N° d'impression : 67014
Dépôt légal : février 2004
Suite du premier tirage : décembre 2011
S22125/01